LLEGARÁ UN DÍA E

Viktor Frankl

LLEGARÁ UN DÍA EN EL QUE SERÁS LIBRE

CARTAS, TEXTOS Y DISCURSOS INÉDITOS

Edición
Alexander Batthyány

Traducción
María Luisa Vea Soriano

Herder

Título original: Es kommt der Tag, da bist du frei. Unveröffentlichte Briefe, Texte und Reden
Traducción: María Luisa Vea Soriano
Diseño de portada: Gabriel Nunes

ISBN: 978-84-254-4188-2

Imprenta: QPPRINT
Depósito legal: B - 980 - 2019
Printed in Spain - Impreso en España

Herder
www.herdereditorial.com

Für

ELLY,

der es gelungen ist, den ehemaligen „homo patiens“ in einen homo amans zu verwandeln

Viktor

Para Elly, que fue capaz de convertir al antiguo «homo patiens» en un homo amans. Viktor

Índice

¡Oh, Buchenwald! No nos lamentamos ni nos quejamos
y, sea cual sea nuestro destino,
queremos decir sí a la vida,
porque llegará un día en el que seremos libres.

Estribillo de la *Canción de Buchenwald*

Viktor E. Frankl

Introducción
por Alexander Batthyány

> En el campo nos habíamos confesado unos a otros que ninguna dicha en esta tierra podía compensar toda la desgracia padecida. No esperábamos encontrar la felicidad, no era eso lo que infundía valor y sentido a nuestro sufrimiento, a nuestro sacrificio, a nuestra agonía. Pero tampoco estábamos preparados para la infelicidad. Ese desencanto, con el que se topó un número nada desdeñable de prisioneros, resultó una experiencia muy dolorosa y difícil de llevar, y también muy difícil de tratar para un psiquiatra. Pero esto no debería desalentar al psiquiatra, sino constituir un mayor estímulo.
>
> Transcurrido el tiempo, llegó el día en que, al volver la vista atrás, hacia la espeluznante experiencia del campo, a los prisioneros les resultaba imposible comprender cómo consiguieron soportar todo aquello. Y del mismo modo que la liberación les había parecido un bello sueño, sentían ahora las atroces vivencias del campo como una lejana pesadilla.
>
> Después de describir la psicología del prisionero del campo de concentración, hemos de reconocer que salir de aquel mundo ignominioso y volver al calor del hogar producía una maravillosa sensación de fortaleza interior. Tras haber soportado increíbles sufrimientos, ya no había nada que temer, excepto a Dios. (Frankl, 1946b: 122)

Con estas líneas termina *El hombre en busca de sentido,* la crónica sobre el Holocausto que Viktor Frankl escribió en 1945. En cambio, el libro no menciona, o lo hace solo brevemente, lo que ocurrió inmediatamente después, el motivo por el que Frankl regresó a su Viena natal, cómo vivió el antiguo prisionero los primeros días, semanas y meses posteriores a su liberación y en qué circunstancias vitales escribió su famosa crónica sobre el Holocausto. De hecho, todo esto ha permanecido hasta ahora oculto o completamente desconocido para la mayoría de los lectores.

Por este motivo, Viktor Frankl recibió durante sus conferencias numerosas preguntas acerca de la época inmediatamente posterior a su liberación del campo de concentración. Con el paso de los años y conforme aumentaba la distancia con respecto a los acontecimientos, Frankl fue hablando cada vez más abiertamente sobre estas primeras semanas y meses en libertad. Fue a comienzos de la década de los noventa cuando Frankl permitió por primera vez que se examinaran y publicaran notas personales y cartas de su archivo privado, obviamente convencido de que la etapa del regreso a casa, a la que hasta el momento apenas se había prestado atención, merecía ser preservada del olvido; y quizá también con la esperanza de que el hecho de conocerla pudiera aportar valor y confianza en sus propias vidas a aquellos a los que la lectura de *El hombre en busca de sentido* había aportado ya fuerza y consuelo.

A la luz de las anteriores consideraciones, el presente libro reconstruye a partir de cartas y documentos en parte inéditos del archivo personal de Viktor Frankl en Viena algunas de las estaciones más importantes y motivos centrales de su liberación y vuelta a casa. El libro tiene también la intención de corregir un determinado relato, muy divulgado pero a veces demasiado simplista, sobre la vida de Frankl durante los primeros años de la posguerra. De hecho, en este sentido, algunos de los textos y cartas aquí publicados contienen informaciones que resultarán sorprendentes también para los conocedores de la biografía de Frankl, en la medida en que invitan, por ejemplo, a una lectura más cuidadosa sobre lo «fácil» que le resultó a Frankl regresar a la libertad después de que terminara su vida como prisionero en cuatro campos de concentración (Terezín, Auschwitz, Kaufering y Türkheim). Sus primeros posicionamientos políticos y conferencias muestran a su vez que la postura de Frankl respecto a la cuestión de la culpa, la responsabilidad y la reparación colectivas es mucho más compleja de lo que en muchas ocasiones se ha mostrado hasta ahora. Por consiguiente, el presente volumen, en cuanto complemento y continuación de *El hombre en busca de sentido*, aporta algo de luz sobre una fase de la obra y la vida de Viktor Frankl, por lo general, menos conocida.

Los textos reunidos en este libro se dividen en tres partes. La primera, biográfica, contiene cartas y poemas de la época de 1945 a 1947; la segunda, conferencias, entrevistas y comentarios de 1946 a 1948 sobre la temática del Holocausto, el nazismo y la Segunda Guerra Mundial; y la tercera, discursos conmemorativos de los años 1949 a 1988.

La primera parte está precedida por un testimonio de Frankl de 1985. Esta conferencia esclarece el contexto biográfico e histórico de los textos presentados en este volumen mediante un breve resumen de la vida de Frankl entre 1938 y 1945.

1. Correspondencia 1945-1947

La primera parte describe a partir de cartas escritas entre 1945 y 1947 el camino de regreso, tan solo esbozado en los últimos párrafos de *El hombre en busca de sentido*. Hacia el final de la primera parte del libro, Frankl insinúa la dificultad que entraña ese camino:

> ¡Pobre de aquel que no encontró a la persona cuyo recuerdo le infundía valor en el campo! ¡Desdichado quien descubrió una realidad totalmente distinta a la añorada en los años de cautiverio! Quizá subió en un tranvía y se dirigió a la casa de sus recuerdos, llamó al timbre, como había soñado tantas veces en el *Lager*, pero no halló a la persona que debía abrirle, no estaba allí, nunca volvería. (Frankl, 1946b: 121-122)

Estas líneas adquieren una importancia aún mayor cuando se leen teniendo presente la biografía de Frankl. Él presenció la muerte de su padre en Terezín, pero hasta el último momento tuvo la esperanza de que su madre y su primera mujer, Tilly Frankl, de soltera Grosser, hubieran sobrevivido al campo. En una de las primeras cartas escritas tras su liberación que se conservan, Frankl alude a esta esperanza y al consiguiente «cargo de conciencia» que le empujaba a ir a buscarlas a Viena para justificar su despido precipitado del hospital militar de las tropas aliadas en Bad Wörishofen (Baviera), en el que trabajó como médico durante las semanas posteriores a su liberación (véase la carta no fechada de 1945 al capitán Schepeler).

Solo después de abandonar toda esperanza de volver a ver a su madre y a su esposa —estando aún en Múnich, se enteró de que su madre había sido asesinada en Auschwitz e inmediatamente después de regresar a Viena supo que su primera mujer, Tilly, había muerto en Bergen-Belsen semanas después de la liberación, a consecuencia de su estancia en el campo—, Frankl ya no hablará más de su supervivencia como una bendición, sino como una carga. Todo lo que le quedaba ahora era el compromiso con la tarea de su obra intelectual (la logoterapia y el análisis existencial) y la escritura de *Psicoanálisis y existencialismo*, que ya había comenzado antes de la deportación:

> Puedo entenderlo si me imagino como un niño que debe quedarse castigado en la escuela: los demás ya se fueron y yo sigo allí, tengo que terminar los deberes y entonces podré irme a casa. (23 de junio de 1946)

Y:

> Para mí no existe felicidad en esta vida desde los martirios de mi madre y mi esposa. No me ha quedado nada, excepto el compromiso de completar mi obra intelectual, aún y a pesar de todo, o quizá precisamente por todo lo que tengo que sufrir. (1945)

Efectivamente, tras su regreso a Viena, Frankl fue extraordinariamente productivo. Entre 1945 y 1949 publicó ocho libros, entre ellos alguna de las obras fundamentales de la logoterapia y el análisis existencial, y pronunció numerosas y célebres conferencias ante el público y en la radio, tanto dentro como fuera del país. Además, en febrero de 1946 pudo retomar su actividad como médico y fue nombrado director del departamento de neurología del Hospital Policlínico de Viena, puesto que ocupó durante veinticinco años hasta su jubilación en 1970.

Pero, como ya se ha dicho, los éxitos profesionales y científicos son solo una parte de la vida de Frankl tras su liberación. La otra parte, a menudo ignorada también por la recepción contemporánea de Frankl, aparece, sobre todo, y de manera aún más señalada que sus éxitos externos, en las primeras cartas a su hermana y a sus amigos íntimos. En ellas Frankl habla abiertamente de la soledad y de las angustias que le invaden tras su regreso a Viena: el dolor por sus familiares, su primera mujer y los muchos amigos que no sobrevivieron a la persecución nazi.

Sin embargo, a partir de 1946 las cartas documentan cómo la relación con su futura segunda esposa, Eleonore Schwindt, y el nacimiento de su hija Gabriele en diciembre de 1947 le dan cada vez más fuerza y valor. En una carta a Rudolf Stenger, Frankl describe el encuentro con Eleonore como el punto de inflexión decisivo tras su liberación:

> Desde hace unos días no puedo volver a hablarte de cómo «estaba», pues hace poco que las cosas «son» diferentes, seguro que ya sabes a qué me refiero. [...] [D]esde entonces —con este dato es suficiente por hoy— hay una persona a mi lado que ha sido capaz de darle de golpe la vuelta a todo. (Cf. la carta a Rudolf Stenger del 10 de mayo de 1946, *infra*, pp. 83-85)

No obstante, la sombra de las experiencias vividas sigue siendo claramente visible después de este punto de inflexión. Tras consultarlo con su hermana, que estaba viviendo en Australia, Frankl hace los preparativos para, en caso de que la historia se repitiera, poder emigrar allí sin demora junto con su mujer Eleonore y su hija Gabriele, y prepara asimismo un archivo notarial en casa de su hermana para asegurar la conservación de sus trabajos científicos bajo cualquier circunstancia (haciendo referencia, obviamente, a una nueva amenaza política).

2. Textos y artículos (1946-1948) y Discursos conmemorativos (1949-1988)

Un motivo recurrente en las primeras cartas de Frankl posteriores a su liberación es la idea de que, además de escribir libros —como superviviente del Holocausto y, sobre todo, como médico—, tenía la «obligación» de llevar a cabo un «trabajo de reconstrucción psicológica».

Esta labor de reconstrucción psicológica giraba básicamente en torno a tres temas: la responsabilidad individual, política y social, el sufrimiento y la culpa. Pues a la preocupación de Frankl y de otros muchos liberados por la superación del sufrimiento se añadía —a menudo de manera no menos acuciante— la cuestión de la culpa de los otros y, con ello, el problema de cómo debían enfrentarse los supervivientes a sus respectivos pasados recientes. Las sociedades austriaca y alemana posteriores a 1945 se encontraban profundamente divididas ante esta situación: en un lado estaban aquellos que habían padecido inconcebibles dolores y humillaciones; en el otro, los que habían permitido o causado directa o indirectamente este sufrimiento; y dentro de este último grupo se encontraban, a su vez, aquellos que se arrepentían sinceramente de los problemas causados, pero ahora se veían enfrentados aún más al peso de la culpa y la responsabilidad. La Segunda Guerra Mundial y el Holocausto se convirtieron así en momentos históricos excepcionales de confrontación existencial con el dolor, la culpa y la muerte —millones de personas los habían sufrido; muchos eran culpables y casi todas las familias tenían muertos que lamentar—:

> La Segunda Guerra Mundial se encargó de impulsar [la] divulgación [de las preguntas existenciales], actualizar[las] y, aparte de esto, radicalizarla[s] en extremo. Cuando nos preguntamos por qué ocurrió todo esto, debemos tener presente que la Segunda Guerra Mundial siempre significó algo más que la mera experiencia del frente: para el «interior» (que ahora ya no existía) supuso la experiencia de los refugios antiaéreos y de los campos de concentración. (Cf. *infra*, p. 176)

Cuando Frankl retoma estos temas tras su regreso, llama la atención el hecho de que, aunque reconoce desde el principio el contexto y carácter único del Holocausto, advierte al mismo tiempo a sus oyentes y lectores sobre la urgencia, más allá de las circunstancias concretas, de plantearse las cuestiones existenciales, que no surgen por primera vez con el Holocausto, sino que simplemente se ven «radicalizadas» por él. Hay un pasaje clave en el que Frankl expone esta dialéctica entre la historicidad y la atemporalidad de esas cuestiones que tan apremiantes se volvieron tras los acontecimientos ocurridos entre 1938 y 1945:

> Y se equivoca también aquel que piensa que fue el nazismo el que creó el mal: esto sería sobrevalorar el nazismo, porque este nunca fue creativo, ni siquiera para lo malo. El nacionalsocialismo no creó el mal, solo lo fomentó, probablemente como ningún otro sistema lo había hecho hasta entonces. (Cf. *infra*, p. 186)

Lo que es válido para el mal puede aplicarse también, por consiguiente, al sufrimiento y la culpa resultantes. Estos alcanzaron en el Holocausto una dimensión única en la historia, pero, en esencia, son determinantes constantes de la existencia humana. La «tríada trágica» —sufrimiento, culpa y muerte— es parte de la experiencia humana; nadie se libra de ella.

Por lo tanto, cuando Frankl aborda este problema, no lo hace pensando solo en cómo deberían responder a la tríada trágica los supervivientes de la guerra y el Holocausto, sino el ser humano en general, pensando, pues, si vale la pena y tiene sentido vivir una vida que tarde o temprano será conducida hasta los límites de lo comprensible y soportable.

La respuesta a esta pregunta aparece en otro pasaje clave, en el que Frankl formula también el motivo central del «optimismo trágico», que constituye la base argumentativa que debería capacitar al ser humano para «a pesar de todo, decir sí a la vida»:

> Señoras y señores, no creo estar cometiendo un error si hablo en este momento de forma personal; de hecho creo que debo hacerlo para facilitarles de este modo la comprensión de lo que voy a exponerles. Pues bien: en el campo de concentración había muchos y muy complejos problemas, pero en última instancia la máxima preocupación para los prisioneros era: «¿Sobreviviremos? Pues solo en ese caso tendría sentido nuestra vida». En cambio, para mí el problema era otro, justamente el contrario: ¿tienen sentido el sufrimiento y la muerte?
>
> Pues solo entonces tendría sentido sobrevivir. Dicho de otro modo: una vida con sentido —con sentido en cualquier caso— es la única que para mí merecía ser vivida; por el contrario, una vida cuyo sentido depende del más puro azar —de si uno logra salvar la vida o no—, una vida con tan dudoso sentido no me merecería la pena aunque lo lograra...
>
> Si mi convicción acerca del sentido incondicional de la vida —un sentido hasta tal punto incondicional que incluye el sufrimiento y la muerte, aparentemente tan absurdos— superaba esa prueba tan sumamente dura, si superaba ese, permítaseme expresarlo así, *experimentum crucis* que fue el campo de concentra-

> ción, entonces se mantendría para siempre. Si esa convicción mía acerca del sentido incondicional de la vida, el dolor y la muerte no hubiera superado la prueba, entonces estaría sin duda total e irremediablemente desilusionado. Pero mi convicción superó la prueba, pues si no hubiera conservado la vida, no estaría ahora ante ustedes; pero si no hubiera conservado esa convicción, entonces no les estaría hablando hoy...

Este giro de la cuestión del sentido del sufrimiento conduce a Frankl de una mirada exclusiva a la condicionalidad del ser humano (el «más puro azar») al segundo tema central de su obra de posguerra: el poder de decisión y la responsabilidad del ser humano ante sus acciones y omisiones pasadas y presentes.

Pero en vista de todo aquello por lo que muchos tuvieron que responder después de 1945, era necesario antes que nada abordar la resistencia y aversión generalizadas a realizar un balance honesto de las propias actuaciones. En efecto, después de 1945 muchos austriacos siguieron el camino aparentemente más fácil —y al mismo tiempo incierto— de negar su responsabilidad en los desastres y el sufrimiento causados por el régimen nazi, atribuyendo esta responsabilidad exclusivamente a *los alemanes*. Sin embargo, esta dejación de responsabilidades no responde a la realidad histórica. Por consiguiente, Frankl —especialmente desde su perspectiva de superviviente de cuatro campos de concentración— no podía ofrecer un gran alivio a aquellos austriacos que pretendían exigir responsabilidades a los nazis alemanes en general, pero no a los austriacos:

> [Sería mejor no hablar demasiado] del sufrimiento que los alemanes causaron en Austria, sino preguntar antes a las propias víctimas, a los austriacos que estuvieron prisioneros en los campos de concentración, y estos le contarán que las SS de Viena eran las más temidas de todas. [Habría que] preguntar a los judíos austriacos que estuvieron en Viena el 10 de noviembre de 1938 y que luego,

> en los campos, escucharon de sus correligionarios alemanes que ese mismo día las SS alemanas, que obedecían las mismas órdenes superiores, actuaron de un modo mucho más benévolo.
>
> [...]
>
> Sé que corro el riesgo de que mis comentarios se malinterpreten y se entiendan como alta traición. Todo austriaco consciente de su responsabilidad debe contar con este malentendido en cuanto sospeche la gran amenaza actual: ¡el fariseísmo austriaco! (Cf. *infra*, p. 203)

Esa parte menos conocida de la obra de posguerra de Viktor E. Frankl a la que nos referíamos al principio sale a la luz principalmente en sus textos acerca de la responsabilidad política.

En ellos, Frankl no adopta tanto el papel de psicólogo como el de observador político:

> Muchos de nosotros, los pocos supervivientes de los campos, estamos llenos de decepción y rencor. Decepción, porque nuestra desgracia todavía no ha terminado, y rencor, porque la injusticia todavía perdura. Puesto que muchas veces no puede hacerse nada contra la desgracia que nos esperaba a nuestro regreso, con más motivo aún tenemos que actuar contra la injusticia y despertarnos del letargo al que la decepción y el rencor amenazan con arrojarnos.
>
> Con frecuencia, parece que los prisioneros de los campos de concentración, que en alemán han sido etiquetados con la hermosa palabra de *KZler*, son vistos ya como figuras anacrónicas de la vida pública. Me explico: el prisionero de un campo de concentración es y seguirá siendo un tipo actual mientras siga existiendo en Austria un solo nazi, ya sea encubierto o, como vemos de nuevo, declarado. Somos la personificación de la mala conciencia de la sociedad.
>
> Los neurólogos sabemos muy bien que el ser humano tiende a, como diría Freud, «reprimir» su mala conciencia. Pero nosotros

> no nos dejaremos reprimir. Construiremos una comunidad de lucha, una comunidad suprapartidaria con un enemigo común: el fascismo. (Cf. *infra*, pp. 197-198)

Para el ser humano, el «letargo» y la huida de las responsabilidades suponen un peligro no solo a nivel político y social, sino también psicológico y existencial y, por otra parte, ponen al psiquiatra ante el reto de resguardar a las personas, fatigadas y confundidas a causa de la experiencia de la culpa y el sufrimiento, de recluirse en la falta de compromiso propia de actitudes vitales basadas en la provisionalidad y el fatalismo:

> Esta generación ha vivido dos guerras mundiales con cambios «revolucionarios» de por medio, inflaciones, crisis económicas mundiales, paro, terror, épocas de preguerra, guerra y posguerra. Demasiado para una sola generación. ¡En qué debería creer aún para poder construir algo! Ya no cree en nada. Solo espera.
>
> Antes de la guerra se decía: «¿Ponernos a hacer algo ahora, ahora que en cualquier momento puede estallar una guerra?». Durante la guerra se decía: «¿Qué podemos hacer ahora? Nada que no sea esperar a que acabe la guerra, esperar, y ya veremos». Y apenas terminó la guerra se decía de nuevo: «¿Y ahora deberíamos hacer algo, ahora que todo es provisional?». (Cf. *infra*, pp. 167-168)

Gracias a numerosos estudios psicológicos, sabemos que la actitud existencial de provisionalidad en los años de la posguerra debió ser un grave problema psicológico masivo; pero también sabemos que este problema no se dio solo en los años de posguerra, sino que puede observarse, sobre todo, de manera aparentemente paradójica y en proporciones alarmantes, en tiempos de relativa prosperidad. Al igual que la argumentación de Frankl sobre el optimismo trágico, su llamamiento a la observación consciente de la responsabilidad personal y social del individuo tampoco ha perdido su vigencia histórica ni psicológica. De hecho, en vista de la resignación y el rechazo a la vida cada vez más extendidos, parece más actual que nunca y puede hacerse valer también para los textos sobre la patología del *Zeitgeist:* el motivo de su redacción es único en la historia, pero el mensaje es sumamente actual.

La historia de los orígenes y de la repercusión de *El hombre en busca de sentido* es una muestra de que para el propio Frankl sus textos, a primera vista históricos, tenían validez más allá del contexto histórico de la época. Aunque el libro describe la historia de un individuo, la intención de Frankl, según él mismo afirmaba, no era tanto hacer una narración personal de sus experiencias en cuatro campos de concentración, sino ilustrar con un ejemplo concreto la idea fundamental de la logoterapia: que ni siquiera la peor de las desgracias es suficientemente poderosa para poner en duda el sentido potencial de la existencia y la dignidad incondicional de todo individuo.

> Quería mostrar al lector [...] por medio de un ejemplo concreto que la vida siempre —incluso en las peores circunstancias— tiene potencialmente sentido. Y pensaba que si lograba mostrarlo a través de una situación tan extrema como la de un campo de concentración, lo que decía mi libro sería escuchado. Sentía que tenía la responsabilidad de escribir y dejar constancia de lo que tuve que padecer, pues creía que tal vez podría servir de ayuda a personas que se encontraran cercanas a la desesperación. (Frankl, 1992)

Esperamos que las cartas y textos procedentes del archivo privado de Frankl en Viena y publicados por primera vez en esta compilación cumplan con la intención del autor al escribir su libro sobre los campos de concentración y sean capaces de mostrar, del mismo modo que su testimonio, *El hombre en busca de sentido,* que:

> No hay ninguna situación, por excepcional que sea, que no entrañe un sentido potencial, aunque este consista tan solo en dar testimonio de la capacidad humana de transformar la tríada trágica «sufrimiento-culpa-muerte» en un triunfo personal. (Frankl, 1993)

Y:

> Mientras el hombre respira, mientras sigue estando consciente, es responsable de dar una respuesta a la pregunta de la vida. Esto deja de sorprendernos en el momento en que recordamos cuál es el hecho humano fundamental: ¡ser humano no es otra cosa que ser consciente y responsable!

Nota del editor

Los textos de las partes II y III del libro son apuntes o transcripciones de conferencias o artículos, bien impresos, bien destinados originalmente a ser impresos. En el caso de las cartas (parte I) y los facsímiles e imágenes del archivo privado de Frankl en Viena, se trata de documentos que inicialmente no estaban destinados a su publicación. En vista de la gran cantidad de correspondencia todavía inédita, el editor, previa consulta con la familia de Viktor Frankl, ha ido decidiendo caso por caso las cartas que se incluirían o no en la presente recopilación, siguiendo básicamente las especificaciones del propio Frankl respecto al manejo de los documentos, sobre todo las cartas, del archivo privado. La decisión de publicar algunas de las cartas escritas tras su liberación (1945-1947) se tomó considerando el hecho de que Frankl autorizó en vida la publicación de la correspondencia completa con Wilhelm Börner y facilitó a su biógrafo, Haddon Klingberg, fragmentos de otras cartas.

Asimismo, nos hemos permitido acortar ligeramente algunos textos, por un lado, sobre todo en la parte II, para evitar repeticiones, y por otro, porque fue necesario suprimir partes del texto, principalmente en las cartas impresas de la parte I. No se citan nombres propios ni referencias a personas privadas (con la excepción de personas de la vida pública y del mundo de la ciencia, familiares y compañeros de Frankl durante muchos años) ni direcciones. Igualmente, se omiten los contenidos privados —sobre todo asuntos familiares internos— que un lector de las cartas que careciera de conocimientos detallados de las circunstancias familiares de Frankl no hubiera podido deducir. Dejando aparte estas mínimas omisiones, el editor ha reproducido las cartas al completo. Los fragmentos suprimidos se señalan mediante corchetes: [...].

Al final de algunos de los textos aparecen comentarios del editor que aportan información sobre las fechas y circunstancias de la redacción y hacen referencia a otros textos de este mismo libro, en los casos en los que ha sido posible o necesario establecer esta conexión. Además de estos breves comentarios sobre el contexto histórico, algunos de los textos y cartas contienen notas explicativas del editor. Por su parte, las notas originales del autor están marcadas del siguiente modo: *(N. del A.)*.

«Testigos de su tiempo». Junio de 1985

Conferencia de Viktor E. Frankl
Estudios ORF de Salzburgo

En los años treinta, con el Estado austrofascista *(Ständestaat)*, llegó la prohibición del Partido Socialdemócrata. En aquel momento se había intentado restar fuerza a los nazis, de los que ya había unos cuantos ilegales en Austria, adoptando su propio antisemitismo. Y pese a todos los principios morales que se le debería haber opuesto a esto, en aquella época, a mí, por ejemplo, que había trabajado durante casi cuatro años en el Hospital Psiquiátrico de Steinhof, siempre se me ignoró por el hecho de ser judío y no se me nombró funcionario público a pesar de mi cualificación y de mis publicaciones. En 1937 me establecí como especialista en neurología y psiquiatría, abriendo una clínica privada. Pero esto no duró mucho, porque en 1938 llegó la anexión, que para mí tuvo unas consecuencias realmente singulares. La mañana de ese mismo día, estando yo todavía en el Hospital Psiquiátrico Universitario del doctor Otto Pötzl, el profesor Karl Nowotny, conocido representante de la psicología individual , vino a verme después de su visita y me dijo: «Señor Frankl, ¿podría usted dar una conferencia en mi lugar esta noche en el Urania? Yo no puedo». Le pregunté: «¿Cuál es el tema?». Y él respondió: «El nerviosismo como fenómeno de nuestro tiempo».

Esa tensión y ese nerviosismo estaban en el aire el día de la anexión. Yo podía hacerlo, puesto que el edificio Urania se encontraba tan solo a diez minutos a pie de mi casa. Sin imaginar lo que podía ocurrir, ese día entré en la sala de conferencias, empecé con la charla y veinte minutos después alguien abrió de golpe la puerta de par en par, se detuvo ante ella con las piernas abiertas y las manos apoyadas en las caderas y me miró fijamente, enfurecido.

Era un hombre de la SA [*Sturmabteilung*].[1] Nunca hasta entonces había visto algo así.

Acto seguido, en solo unas fracciones de segundo, se me pasó por la cabeza que de estudiante había conocido al profesor doctor Fremel. Por aquel entonces los estudiantes de medicina todavía no debíamos examinarnos de la asignatura de otología. Teníamos que matricularnos, pero no era necesario estudiar. Así que, en su debido momento, fuimos a que el profesor Fremel nos firmara el certificado, y este nos dijo: «Aquí tienen la firma. Pero quédense un momento. Les contaré algo sobre el tímpano». ¿Qué íbamos a hacer? Nos quedamos de pie un rato y él empezó a hablarnos del tímpano. Y ya no pudimos alejarnos de él. Estábamos fascinados, cautivados, y nos quedamos allí, de pie. ¡Cómo podía una persona hablar así sobre el tímpano! Era increíble.

En ese momento pensé: «¡Qué diablos! Voy a continuar hablando tranquilamente y voy a hacerlo de manera que ese hombre de la SA se detenga y me escuche». Lo crean o no, ese hombre permaneció allí escuchando cuarenta minutos, de pie en la puerta, con las piernas abiertas y la mirada furiosa. No me hizo nada, ni siquiera interrumpió la conferencia. Así que ya ven todo lo que se puede hacer cuando uno cree que es posible hacerlo.

Más tarde, el doctor Felix von Frisch, prestigioso investigador de la epilepsia, que había emigrado a Inglaterra, me nombró médico jefe de la sección de neurología del Hospital Rothschild. Permanecí allí hasta 1942, año en que se cerró el hospital y fui enviado junto con mis ancianos padres al campo de Terezín.

Cuando nos deportaron, oí decir a mi padre, con una sonrisa en el rostro, las siguientes palabras: «Si Dios así lo quiere, que así sea». Esta es una descripción fenomenológica de un hecho. A mi entender, mi padre —que era una persona liberal, pero verdaderamente

1. *Sturmabteilung* («sección de asalto»), organización paramilitar del NSDAP [Partido Nacionalsocialista Obrero Alemán]. *(N. de la T.)*

religiosa— quería expresar su confianza absoluta en el sentido último de la existencia. En aquel momento mi padre tenía mi edad actual. Yo no sé qué diría hoy si tuviera que emprender inesperadamente ese viaje.

Mi padre murió de hambre en Terezín a la edad de 81 años. Sin embargo, lo que desencadenó finalmente su muerte fue una grave neumonía. Cuando estaba moribundo, fui a verlo por la noche a su barracón, a pesar de que teníamos prohibido salir. Entonces ya estaba en edema pulmonar —eso que vulgarmente llamamos «agonía»—.

Lo indicado en ese momento, al menos médicamente, era administrarle morfina. Yo había introducido clandestinamente en el campo una ampolla de morfina. Sabía que eso proporciona alivio durante la agonía —sobre todo en lo que respecta a la dificultad para respirar—. Esperé hasta que la morfina empezó a hacerle efecto y le pregunté:

—¿Quieres decirme algo más?

—No, gracias —me respondió.

—¿Quieres preguntarme algo?

—No, gracias.

—¿Te duele algo?

— No, gracias.

—¿Estás bien?

—Sí.

Salí de allí a hurtadillas, sabiendo que a la mañana siguiente ya no lo encontraría con vida. Y al marcharme de allí y regresar a mi barracón tuve por primera vez esa sensación que Maslow llamaría una experiencia cumbre —una satisfacción absoluta—. Estaba feliz. Era una sensación maravillosa. Había hecho lo que tenía que hacer y había conseguido estar con mi padre hasta el último momento en que estuvo consciente.

Al fin y al cabo, me había quedado en Viena por mis padres. Podría haberme marchado.

Había esperado durante años conseguir un visado que me permitiera entrar en los Estados Unidos. Finalmente, poco antes de

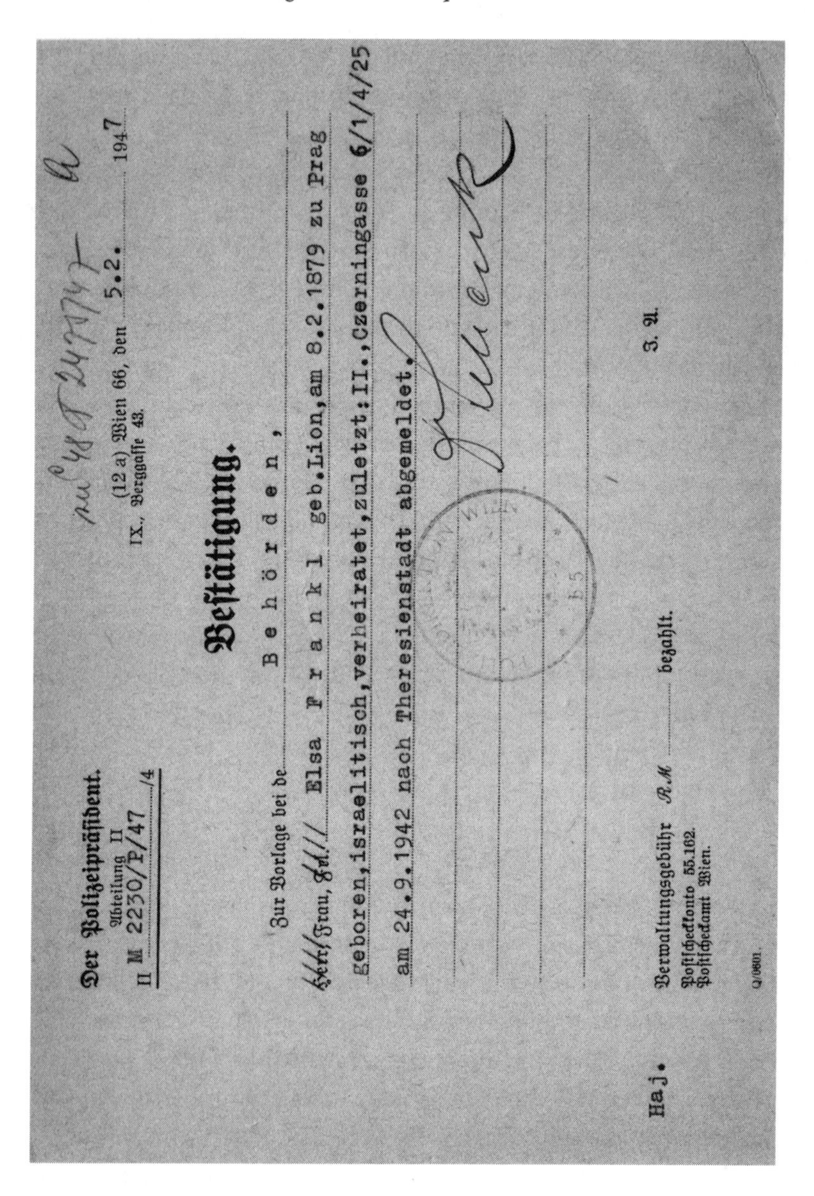

Der Polizeipräsident.
Abteilung II
II M 2230/P/47 /4

(12 a) Wien 66, den 5.2. 1947
IX., Berggasse 43.

Bestätigung.

Zur Vorlage bei de B e h ö r d e n,

Frau, Elsa F r a n k l geb. Lion, am 8.2.1879 zu Prag geboren, israelitisch, verheiratet, zuletzt: II., Czerningasse 6/1/4/25 am 24.9.1942 nach Theresienstadt abgemeldet.

3. A.

Verwaltungsgebühr RM ...... bezahlt.
Postscheckkonto 55.102.
Postscheckamt Wien.

Haj.

Q/0601.

Baja en el padrón municipal de Viena de Elsa, madre de Viktor E. Frankl, tras su traslado a Terezín.

que los Estados Unidos entraran en la guerra, recibí un requerimiento escrito para presentarme en el consulado de ese país para que se me expidiera el visado. Entonces dudé: ¿debía dejar a mis padres solos? Mientras yo trabajara en el Hospital Rothschild, ellos, como mis parientes más cercanos, estaban a salvo de ser deportados. Así que yo era consciente de lo que les esperaba en cuanto dejara Viena: la deportación a un campo de concentración. ¿Debía, pues, despedirme de ellos y abandonarlos a su suerte? El visado solo era válido para mí. Salí de casa, vacilante, di un pequeño paseo y pensé: «¿Acaso no es esta la típica situación en la que se necesitaría una señal del cielo?». Cuando llegué a casa me fijé en un pequeño trozo de mármol que había encima de una mesa.

—¿Qué es eso? —dije, dirigiéndome a mi padre.

—¿Esto? Ah, lo he sacado hoy de un montón de escombros, allí donde estaba la sinagoga que quemaron los nazis, y he pensado: «Es algo sagrado, no puedo dejarlo tirado en la calle». Este trozo de mármol es parte de las Tablas de la Ley. Si te interesa, puedo decirte a cuál de los diez mandamientos pertenece esa letra hebrea que tiene grabada, porque solo hay un mandamiento que comience con ella.

—¿Y cuál es? —apremié a mi padre.

A lo que él me contestó:

—«Honrarás a tu padre y a tu madre para que tus días se prolonguen en la tierra...».

Así que me quedé «en la tierra» con mis padres y dejé que caducara mi visado.

Todavía pasaron dos años después de esto, y durante ese tiempo mis padres pudieron quedarse en Viena. Naturalmente, me arriesgaba a tener que ir después con ellos a un campo de concentración. Pero valió la pena, y esto se confirmó en el instante en el que me despedí de mi padre en Terezín. Para mí fue fácil tomar la decisión. Y acerté. Tenía un sentimiento de felicidad indescriptible. Imagínense que su padre muere y ustedes se sienten felices. En estos casos ocurren cosas así. En situaciones anormales, una reacción anormal es lo normal, o en este caso: lo correcto es lo preciso. ¿Y qué ocurrió después? Después me llevaron a Auschwitz.

Cuando llegó la hora de ser transportado a Auschwitz junto con mi primera esposa, Tilly, me estaba despidiendo de mi madre y en el último momento le pedí:

—Por favor, dame tu bendición.

Nunca olvidaré la forma en que ella me dijo, con un grito que le salió de lo más profundo y que solo puedo calificar de fervoroso:

—Sí, sí, yo te bendigo.

Y entonces me dio su bendición. Esto ocurrió una semana antes de que también ella fuera trasladada a Auschwitz.

Me acuerdo perfectamente de mi llegada a la estación de Auschwitz. Estaba delante de Mengele, a un metro o dos de distancia de él. En la rampa, cuando realizaron lo que llamaban la selección, me enviaron a la derecha. Por casualidad, sé por estadísticas posteriores que en aquel momento, en la rampa de la estación, mis probabilidades de sobrevivir eran exactamente de 1 entre 29. Comprenderán que, en una situación así, una persona no tiene sentimientos de culpa por haber sobrevivido *(survival guilt)*, tal y como afirman los psicoanalistas en Estados Unidos, sino que lo que siente es más bien una enorme responsabilidad.

Por lo general, si esa persona entiende realmente la situación y no la olvida, se preguntará un día tras otro si es digna de la misericordia de seguir con vida. Y día tras día se dirá que, a pesar de todos los esfuerzos, realmente no lo es. Por lo tanto, existe una *survival responsibility*, una responsabilidad frente a la propia supervivencia, pero no un sentimiento de culpa *a priori* y menos aún una culpa real.

Solo pasé unos días en el campo de Auschwitz. Después, tras dos días de viaje en un vagón de ganado, me trasladaron a Kaufering, un subcampo dependiente de Dachau. Luego me llevaron a Türkheim. Allí tuve una fiebre muy alta. Solo más tarde supe que se trataba del tifus. En aquel momento pesaba cuarenta kilos y tenía cuarenta grados de fiebre y, como médico, sabía que, si me quedaba dormido o inconsciente por la noche, sufriría un colapso cardiovascular: la presión arterial disminuiría y entonces estaría perdido. Por eso intenté forzarme a mantenerme despierto.

Un compañero había robado unos papeles del cuartel general de las SS —todavía los conservo—. Eran formularios impresos por una cara, pero con la otra cara en blanco. También me había traído de allí un trozo de lápiz. Fue mi regalo de cumpleaños. En el reverso de esos formularios, con ese trozo de lápiz, reconstruí por medio de apuntes escritos en taquigrafía el manuscrito de mi primer libro.

Me había llevado el manuscrito escondido a Auschwitz, cosido en el forro del abrigo. Naturalmente, en Auschwitz tuve que deshacerme de todo: el abrigo, toda mi ropa, todo. Y además nos raparon, en gran parte debido al peligro de contraer tifus. En cualquier caso, el manuscrito se perdió y esto me causó un tremendo dolor. Las probabilidades de supervivencia de ese manuscrito no eran de 1 entre 29, sino, desde el principio, prácticamente nulas. Así que los meses de marzo y abril de 1945, en el campo de Türkheim, pasé el tiempo reescribiendo el libro. Más tarde, después de la liberación, esas notas me fueron de gran utilidad. Como dije, todavía las conservo.

El 27 de abril de 1945 fui liberado por los tejanos y marché a Múnich, donde permanecí hasta que, de manera medio clandestina, regresé a Viena con el primer tren que pude coger. Estando aún en Múnich, me enteré de que habían llevado a mi madre a la cámara de gas. En mi primer día en Viena supe que mi mujer había muerto en Bergen-Belsen, a la edad de 25 años.

Camp Office of Dachau Date 26.7.1945

Certificate Nr.143

It is hereby certified that Mr. Frankl Viktor, born 26.3.19o5 in Wien, was detained in Dachau Concentration Camp from 27.1o.1944 to the day of deliverance by the United States Army and was registered in the Camp Books under the number 119lo4. He came from C.C. Auschwitz

M. A. SUTON
DIRECTOR
TEAM P.1 UNRRA

Camp Office

/ Domagala Jan /
Camp Secretary
Camp Secretary of Dachau

U.N.R.R.A.
TEAM P.1.
DIRECTOR

Certificado del tiempo de detención de Viktor Frankl en el campo de concentración de Dachau. En él aparece su número de prisionero: 119 104.

Correspondencia

1945-1947

Liberado del campo de concentración

El hombre en busca de sentido
1946

Analicemos ahora, en la última parte del examen de la psicología del campo de concentración, las reacciones del prisionero después de su liberación. [...] tras varios días de gran tensión, al final se izó la bandera blanca a la entrada del campo. Al estado de ansiedad siguió una relajación total. Pero se engañaría quien creyese que nos volvimos locos de alegría. ¿Qué sucedió?

Con pasos torpes, los prisioneros nos agolpamos en la puerta del campo. Observábamos con recelo a nuestro alrededor y nos interrogábamos unos a otros con la mirada. Luego nos aventuramos a dar unos pasos fuera del campo, y en esta ocasión nadie impartía órdenes a gritos, ni debíamos agacharnos o escabullirnos rápidamente para esquivar un golpe o un puntapié. ¡Oh, no! ¡Increíblemente los guardias nos ofrecían cigarrillos! Al principio apenas los reconocíamos; se habían apresurado a vestirse de civiles. Nos adentramos lentamente por la carretera que partía del campo. Enseguida notamos las piernas doloridas, que amenazaban con doblarse. Pero nos repusimos y marchamos a trompicones; queríamos ver, por primera vez, los alrededores del *Lager* con ojos de hombres libres. «¡Somos libres!», nos decíamos una y otra vez, casi sin creerlo. Habíamos repetido esa palabra tantas veces durante los años que soñamos con la libertad que el término parecía gastado y carecía de sentido. No penetraba en nuestra conciencia: no comprendíamos su significado. Aún no creíamos que la libertad nos perteneciera.

Llegamos a unos prados cubiertos de flores. Los contemplamos, pero no nos despertaban ninguna emoción. El primer destello de alegría se produjo al divisar un gallo con su cola de plumas multicolores. Pero no fue más que un leve destello; aún no pertenecíamos a ese mundo.

Al atardecer, al encontrarnos todos de nuevo en el barracón, un hombre le susurró a otro, en tono confidencial:

—¿Dime, has sentido hoy alegría?

El otro contestó avergonzado, pues no sabía que los demás nos sentíamos de forma parecida:

—Sinceramente, no.

Dicho con toda crudeza: habíamos perdido la capacidad de sentir alegría y teníamos que volver a aprenderla lentamente.

Lo que les sucedía a los prisioneros se denomina en psicología «despersonalización». Todo parecía irreal, improbable, como un sueño. No podíamos creer que fuera verdad. Cuántas veces habíamos soñado con la liberación, con la vuelta al hogar, con saludar a los amigos y abrazar a la esposa, con sentarnos a la mesa de nuestra casa y contarles todo por lo que habíamos pasado, los sufrimientos del cautiverio, incluso las imágenes del sueño de nuestra ansiada libertad. Durante años el sueño de libertad se había desvanecido una y otra vez con el estridente silbato, la señal para levantarnos. Y ahora el sueño se había hecho realidad. ¿Podíamos creer en él?

El cuerpo desarrolla menos inhibiciones que la mente; desde el primer momento se adaptó a la libertad recién adquirida y empezó a comer con voracidad durante horas y días enteros, incluso en la mitad de la noche. Es asombrosa la cantidad de comida que se puede ingerir. Y si algún amable granjero de la vecindad invitaba a almorzar a un prisionero, este comía y comía y bebía café, y ese bienestar azuzaba su locuacidad y hablaba horas enteras. La presión que durante años había oprimido su mente al fin desaparecía. Escuchándolo se tenía la impresión de que necesitaba hablar, empujado por una fuerza irresistible. [...] Primero se les soltaba la lengua, y varios días después estallaba algo desconocido en el interior; y, de pronto, los sentimientos brotaban de lo profundo del ser, rompiendo la compacta barrera que los reprimía.

Cierto día, poco después de la liberación, caminé kilómetros y kilómetros por un campo florido en dirección al mercado de un pueblo cercano. Las alondras se elevaban al cielo y se oían sus alegres cantos; no se veía a nadie en varias millas a la redonda, no había nada más que el cielo y la tierra y el júbilo de las alondras, la libertad del espacio. Me detuve, miré a mi alrededor, después al cielo, y caí de rodillas. En aquel momento yo sabía muy poco de mí y del mundo, no tenía sino una única frase en mi cabeza: «En la angustia clamé al Señor y Él me contestó desde el espacio en libertad».

No recuerdo cuánto tiempo permanecí allí, de rodillas, repitiendo mi jaculatoria. Pero estoy seguro de que aquel día, en aquel instante, mi vida comenzó de nuevo. Fui avanzando, poco a poco, hasta volverme otra vez un ser humano. (Frankl, 1946b: 117-119)

A Wilhelm y Stepha Börner[1]

3 de mayo de 1945

Comité International de la Cruz Roja (Ginebra)
Mensaje para enviar

Liberado del campo de concentración, sano, gracias a Dios, madre y esposa desplazadas. Sin noticias. Viktor

1. Wilhelm Börner (1882-1951), filósofo y pedagogo, dirigió la Ethische Gemeinde [Sociedad Ética] de Viena desde 1921 hasta su prohibición en 1938 y de 1945 a 1951. En este marco fundó los primeros Centros de Asesoramiento para la Prevención del Suicidio del mundo. Börner y Frankl se conocían bien ya antes de la guerra y fueron amigos toda la vida. El Centro de Asesoramiento para la Prevención del Suicidio fundado por Börner supuso un impulso importante para Frankl, que organizó en Viena las Oficinas de Asesoramiento Juvenil, en las que Börner trabajó como asesor voluntario.

A Wilhelm y Stepha Börner

15 de junio de 1945

Querida Stepha, querido Wilhelm:

Hoy os escribo esta carta a toda prisa. Actualmente me encuentro en Bad Wörishofen, el famoso balneario Kneipp, en un hotel grande y elegante, que antes fue utilizado como hospital militar alemán y ahora como hospital y residencia para los prisioneros judíos traídos hasta aquí desde los muchos campos de concentración circundantes. Yo mismo estuve prisionero en un campo de concentración cercano (Türkheim), y aquí soy el médico responsable de la supervisión de los servicios médicos por parte de los pacientes judíos y las autoridades estadounidenses.

Los norteamericanos nos liberaron el 27 de abril. (Inmediatamente antes yo había intentado escapar aprovechando un momento en que tenía que enterrar fuera de la alambrada a uno de los muchos cadáveres). En muy poco tiempo engordé varios kilos; los primeros días todo era como un sueño, no podía alegrarme por nada —¡creedme, lo había olvidado literalmente!—. Por desgracia, no tengo claro a dónde han ido a parar los míos, si mi madre sigue en Terezín o si mi mujer ha salido del campo y está en Viena. Por el momento, no puedo ir allí, ni siquiera escribir. Tampoco sé nada de mi hermano Walter. De mi suegra, a la que se llevaron de Terezín ya en junio de 1944 (ella y la abuela de mi mujer habían llegado allí con nosotros), tan solo supe algo una vez. Ojalá estén todos vivos. Temo el momento de la certeza... una vez que regrese a casa.

Desde hace dos días me he puesto de nuevo a dictar mi manuscrito. Así pienso en otras cosas. Tal vez pueda retomar mi trabajo científico en Viena, siempre que pueda o deba permanecer allí. Todo depende de lo que quieran mi madre y mi mujer: la primera querrá irse a Australia, y Tilly, a Brasil.

¡Sabe Dios todas las cosas urgentes e importantes que se me habrán olvidado contaros con la prisa! Además estoy cansado de dictar hoy el texto para mi libro *Psicoanálisis y existencialismo,* que espero que pronto pueda publicarse, para terminar por fin con este parto intelectual. Así que deseadme suerte para que todo salga bien con mis parientes, y ojalá no me hayáis olvidado todavía.

Vuestro, Viktor

MILITARY GOVERNMENT
OF GERMANY

MILITÄRREGIERUNG-BEFREIUNG
MILITARY GOVERNMENT
EXEMPTION

E1 F3
034263

Datum der Ausstellung
Date Issued 3 August 1945

Wird unwirksam am
Expires on 2 September 1945

Name
Name Dr. med. Viktor Frankl

Anschrift
Address Kurh. Luer

Wohnort
Town Bad Wörishofen

Ausweiskarte Klasse
Identity Card Type KZ-pass

Nr.
No.

Unterschrift des Inhabers
Signature of Holder

ANWEISUNGEN: Diese Befreiung ist im Namen der Militärregierung ausgestellt worden. Sie ist nicht übertragbar, darf nicht abgeändert oder vernichtet werden und ist nur gültig in Verbindung mit der Ausweiskarte des Inhabers. Der Verlust dieser Karte muß der Polizei gemeldet werden. Gefundene oder unwirksam gewordene Karten müssen an die ausstellende Behörde zurückgegeben werden.

INSTRUCTIONS: This exemption is issued by Military Government. It is not transferable, must not be altered or destroyed, and is only valid when used in conjunction with the holder's identity card. The loss of this card must be reported to the police. If found, or on expiration of validity, this card must be returned to the issuing authority.

Permiso emitido por el Gobierno militar, en el que figura Bad Wörishofen como lugar de residencia de Viktor Frankl.

A Wilhelm y Stepha Börner

4 de agosto de 1945

¡Queridos!:

Hoy ha llegado a mis manos vuestra carta del 5 de julio. No os podéis imaginar la alegría que ha sido para mí. Es la primera carta que recibo en tres años.

Paso ahora a daros información sobre los diferentes temas de los que me habláis: el tío Sigmund llegó a Polonia en 1942. En verano de ese mismo año llegaron a Terezín la tía Ida y la tía Helene. Cuando llegamos nosotros en septiembre, Otto Ungar nos contó que, poco tiempo antes, habían enviado a ambas a Polonia. Hasta entonces les había ido bien. Pero ¿y luego?... La tía Hanni y Berta también estaban en Terezín. La primera murió en 1944 y la otra llegó a Auschwitz poco antes que yo. Otto fue detenido en compañía de algunos de sus colegas durante el verano de 1944 y enviado junto con su mujer y su hijita a la «Fortaleza Pequeña» del campo de Terezín. Otto me contó que a Fritz lo fusilaron después de haber estado escondido durante varias semanas a consecuencia de la represalia nazi en Chequia. Käthe habría corrido la misma suerte si no hubiera huido clandestinamente a Viena. Vally permaneció en Viena, donde vivía como los llamados submarinos, sin registrarse y de manera clandestina. Lamentablemente no sé cuánto tiempo pudo mantener esa situación. En cuanto al resto de las personas que mencionáis, no recuerdo nada.

En aquel momento nos llegaban los envíos de sardinas, pero no otros paquetes. Prácticamente nos salvaron la vida. Mamá trabajaba mucho y, zurciendo calcetines a los solteros, conseguía todo tipo de alimentos. Pero su única alegría era visitarme cuando podía, aunque solo fuera unos minutos, en la habitación del barracón que yo compartía con otros siete compañeros. Era tan linda. ¡Dios quiera que vuelva a verla!

4385

Lebensmittel- und Unterstützungs-Bezugsnachweis

für ehemalige KZ.-Inſaſſen

Herr — Frau Dr. Frankl Viktor, 26.3.1905. Österr.

war vormals Inſaſſe Nr. 119104

des KZ.-Lagers Dachau

München, den 11.7. 1945.

(Stempel) Städt. Wohlfahrts- u. Stiftungsdezernat München

Städt. Wohlfahrtshauptamt München

Abt. Fürſorgebüro für ehemalige KZ.-Inſaſſen

(Unterſchrift)

Er hat folgende Lebensmittelmarken erhalten:

Vom:	bis:	Ernährungsamt der Stadt:
11.7.	17.7.	1877
18.-24.7.45		m. Zul.
25.-30.7.45		m. Zul.
31.7./6.8.45		m. Zul.
7./13.8		m. Zul.
Arbeitsamt München		9. Aug. 1945
14-20.8		m. Zulag
		9. 8. 45

Bayeriſche Kommunalſchriften-Druckerei München. 11. 6. 45. 5000.

Documento acreditativo de los alimentos y otras ayudas recibidos por Viktor Frankl.

Llevo varias semanas en Múnich desde que en Wörishofen me dijeran que saldría un tren hacia Viena. Tuve que escabullirme de mi capitán[2] estadounidense, pues me había dicho que no me dejaría marchar mientras siguiera existiendo el hospital del que me había nombrado director (un DP-*Hospital* —hospital de personas desplazadas—). Por una parte, era fácil reemplazarme (solo hacía trabajo administrativo) y, por otra, para mí era una cuestión de conciencia no tardar en ir a ver a mi madre ni una hora más de lo estrictamente necesario; de otro modo, todo el sacrificio que hice por mis padres al quedarme con ellos hubiera sido absurdo.

Debéis entender que mi posición y la buena vida que tenía en Wörishofen no podían detenerme. Sin embargo, los rusos todavía no han autorizado el convoy a Viena. No obstante, estos días partirá alguien hacia allí y podrá decirme si mi madre y mi mujer están ya en la ciudad, lo cual es probable, si es que siguen vivas. Así, cuando yo vaya, quizá la próxima semana, sabré ya qué buenas o malas sorpresas me esperan.

Entretanto, no he holgazaneado nada en Múnich, ni siquiera después de dejar mi puesto en el hospital. Di una conferencia en la radio en la que hablé de mi opinión como psiquiatra sobre los asesinatos masivos de enfermos mentales cometidos por los nazis. Se emitirá desde Radio Luxemburgo a través de todas las emisoras alemanas. También he escrito un artículo sobre psicología de los campos de concentración, que será publicado en los periódicos alemanes.

Por lo demás, después de todo lo que hemos vivido, ya nada me parece tan importante. Uno se alegra de seguir vivo, agradece cada pequeña alegría y cualquier oportunidad de poder trabajar conforme a sus capacidades e intereses.

La ambición, la carrera, la buena vida, etc., se disfrutan cuando se tienen; pero si no —y ahora tengo en mente a los compañeros del campo de concentración, que fueron enterrados en secreto y de

2. Véase la carta al capitán Schepeler, *infra*, p. 47.

GRÜNDE, EINZELHEITEN UND AMTLICHE UNTERSCHRIFT:
Die umstehend benannte Person ist, wie unten angegeben, von Beschränkungen betreffend: AUSGANG — REISE —XXXXXXXXXX XXXXXXXXXXXXXXXXXXXXXXXX befreit. (Nicht zutreffendes ist durchzustreichen).

REASONS, SPECIFICATIONS AND ENDORSEMENTS:
The person named on the reverse hereof is granted exemption, only as specified below, from restrictions respecting: CURFEW-TRAVEL XXXXXX XXXXXXXXXXXXXXXXXXXXXXXX *(delete where applicable).*

EINZELHEITEN DER BEFREIUNG:
PARTICULARS OF EXEMPTION:
by car or ~~railway~~ to Vienna and back

GRÜNDE:
REASONS: Dr. Frankl is an Austrian citizen; he is the chief practitioner of the ward for nerves-diseases at the hospital for Jews at Vienna. After Dr.Frankl's removal to the KZ-camp that position has remained vacant

Ausstellende Behörde:
Issuing Organisation Mil Govt H 5 H 3

Name (Druckschrift)
Name (printed) John K Huston

Rang
Rank Capt CMP

Unterschrift
Signature [signature]

Stammnr.
Serial No. 0-190220

Permiso concedido a Viktor Frankl para viajar a Viena y regresar a Múnich en coche.

manera provisional en un pequeño bosque, tan jóvenes o más que yo, más capaces y mejores que yo— se siente una especie de vergüenza por seguir pudiendo respirar mientras esas personas magníficas, al igual que tantos amigos, se pudren en sus tumbas. Mirad, todo esto crea para siempre en nosotros una distancia secreta con toda la felicidad y todo el sufrimiento de este mundo; una distancia que, sin embargo, no paraliza, sino todo lo contrario, te hace sentir que solo si haces algo, eres digno de la bendición de la vida.

Difícilmente podréis calcular lo que ha supuesto vuestra carta para mí; aparte de su contenido, vuestras palabras me llegan al corazón, pues siento que proceden del corazón. No me olvidéis y creedme, os estoy tremendamente agradecido. Me despido de vosotros con mis mejores deseos, también para el resto de mis amigos, y un beso para mi hermana.

Vuestro, Viktor

Al capitán Schepeler, director del Hospital para Personas Desplazadas de Bad Wörishofen[3]

Julio/agosto de 1945

Le he pedido al doctor Heumann que le entregue a usted esta carta si no he regresado a Bad Wörishofen dentro de unos días. Voy a Múnich en busca de una oportunidad para regresar a Viena. Tengo que buscar allí a mi anciana madre (enferma del corazón) y a mi joven

3. Frankl empezó a trabajar allí inmediatamente después de su liberación. El término «personas desplazadas» hace referencia a todos aquellos que fueron expulsados, deportados o que huyeron de sus hogares como consecuencia de la Segunda Guerra Mundial.

RADIO SECTION
6870th DISTRICT INFORMATION SERVICES CONTROL COMMAND
SUPREME HEADQUARTERS ALLIED EXPEDITIONARY FORCE
APO 757 US ARMY

13/8/45

TO WHOM IT MAY CONCERN:

The bearer, Herr Dr. Viktor Frankl, is coming to Vienna and is desirous of returning to Munich if possible. We should like very much to employ him in Radio Munich, a Station of the Military Government and would appreciate any assistance which could be rendered him in securing transportation to Munich.

Herr Viktor Frankl kommt nach Wien und wünscht, wenn möglich, wieder nach München zurückzureisen. Wir möchten ihn gerne im Radio München, einem Sender der Militärregierung, verwenden und wären für alle Hilfe und Unterstützung dankbar, die ihm für eine Reise nach München zuteil wird.

Field Horine

FIELD HORINE
Chief Editor - Radio Munich

Escrito en el que Radio Múnich solicita que se le facilite a Viktor Frankl el regreso de Viena a Múnich.

esposa; las dos estaban conmigo en el campo de concentración y allí nos separaron. Hasta la fecha no tengo noticias suyas.

Naturalmente, tengo la intención de volver de Viena y traer conmigo a mis familiares —si es que las encuentro—. Esta es una decisión que me dicta mi conciencia y no estoy dispuesto a discutir sobre ella, pues es algo que tengo muy claro. Una vez me negué a ir a los Estados Unidos, a pesar de que tenía un visado: ¡no podía dejar a mis padres solos en Europa durante la guerra! Así que me quedé con ellos. De lo contrario, no hubiera ido al campo de concentración. No me arrepiento en absoluto de haber tomado esa decisión. Para mí era simplemente una cuestión de responsabilidad; nadie podía eximirme de hacerlo. Ahora vuelve a ser lo mismo: tengo la sensación firme y segura de que debo irme para encontrar a mi madre y a mi esposa. Y creo que me creerá si le digo que esto es algo que me dicta únicamente mi conciencia. Sería egoísta por mi parte seguir trabajando en este lugar, a pesar de que preferiría quedarme aquí, donde tengo la ocasión de trabajar y vivir en buenas condiciones.

Cubrir mi puesto aquí es fácil, especialmente teniendo en cuenta que el doctor Heumann ha trabajado estrechamente conmigo y conoce bien cómo funciona todo. No le comuniqué mis planes porque temía que usted no me permitiera dejar Bad Wörishofen ni siquiera por una o dos semanas. Ahora solo puedo pedirle perdón y esperar cierta comprensión por su parte y que al menos entienda mi proceder, aunque no pueda aprobarlo.

Le hablo de hombre a hombre y le pido que me entienda; aún así, para mí, herir a una persona estimada es un mal menor si lo comparo con violar la propia conciencia. Tan pronto como regrese, se lo haré saber y me pondré a su disposición, quizá con vistas a trabajar en mi verdadera profesión, es decir, como psiquiatra y neurólogo.

El hombre en busca de sentido
1946

El camino que nos alejaba de la aguda tensión psicológica de los últimos días en el campo (de la guerra de nervios a la paz mental) no estaba exento de obstáculos. Sería un error creer que el prisionero liberado de un campo de concentración ya no necesitaba ninguna atención psicológica. Hay que considerar que una persona sometida, durante mucho tiempo, a una tensión psicológica tan tremenda sigue en peligro después de la liberación, en especial si esta se ha producido bruscamente. Este peligro (desde el punto de vista de la psicohigiene) es la contrapartida psicológica de la aeroembolia. Así como un buzo —sometido a la presión atmosférica— correría peligro si se le quitara de golpe la escafandra, el hombre repentinamente liberado de una tensión psicológica puede sufrir daños en su salud psíquica.

[...]

Además de la deficiencia moral, consecuencia del cese repentino de la tensión psicológica, otras dos experiencias fundamentales amenazaban con dañar el carácter del hombre liberado: la amargura y el desencanto que sufría al regresar.

La amargura se surtía del cúmulo de decepciones que el recién liberado sufría al volver a la vida anterior. Se amargaba al comprobar que en muchas partes era recibido con nada más que un encogimiento de hombros y frases rutinarias. Ante estos lánguidos recibimientos se preguntaba para qué habría sufrido aquellos horrores. Constantemente escuchaba expresiones estereotipadas del tipo: «No sabíamos nada», «También nosotros hemos sufrido». ¿No tenían nada mejor que decir?

La experiencia del desencanto es distinta. En este caso, el propio destino demostraba su crueldad, no el amigo (cuya superficialidad e insensibilidad disgustaban hasta el punto de desear meterse en un agujero y no ver nunca más a un ser humano). El hombre que durante años había pensado que había tocado el fondo del sufrimiento veía ahora que el sufrimiento no tenía límites, que todavía podía seguir sufriendo, y aún con más intensidad.

Cuando, páginas atrás, nos referimos a la necesidad de infundir en el prisionero ánimos para superar su dramática situación, dijimos que esto se conseguía proponiéndole alguna meta alcanzable en el futuro. Era preciso recordarle que la vida seguía esperándolo, que un ser querido aguardaba su regreso con devoción. ¿Y después de la liberación? [...]

¡Pobre de aquel que no encontró a la persona cuyo recuerdo le infundía valor en el campo! ¡Desdichado quien descubrió una realidad totalmente distinta a la añorada en los años de cautiverio! Quizá subió en un tranvía y se dirigió a la casa de sus recuerdos, llamó al timbre, como había soñado tantas veces en el *Lager*, pero no halló a la persona que debía abrirle, no estaba allí, nunca volvería. (Frankl, 1946b: 119-122)

Lo que os quedaba por sufrir, debo sufrirlo yo ahora

A Wilhelm y Stepha Börner

14 de septiembre de 1945

¡Queridos!:

Después de cuatro semanas en Viena, por fin tengo la oportunidad de escribiros. Pero solo tengo cosas tristes que contaros: poco antes de salir de Múnich me enteré de que mi madre fue enviada a Auschwitz, una semana después que yo. Ya sabéis lo que esto significa. Y nada más llegar a Viena me dijeron que mi esposa también había muerto. Ella pasó de Auschwitz al tristemente célebre campo de Bergen-Belsen. Las mujeres sufrieron allí «cosas espantosas, indescriptibles», tal y como escribe en una carta una antigua compañera de Tilly, la cual cita su nombre entre las personas muertas a causa del tifus (la carta procede de la única enfermera superviviente del hospital mientras estuvieron en Bergen-Belsen). Una repatriada de Bergen-Belsen me describió esas «cosas indescriptibles». No soy capaz de repetir lo que me dijo.

Así que me he quedado completamente solo. Solamente una persona que haya vivido lo mismo que yo podría entenderme. Estoy inmensamente cansado, inmensamente triste, inmensamente solo. No espero nada ni temo nada. Ya no me queda ninguna alegría en la vida, solo obligaciones; solo hago lo que me ordena la conciencia... Y así es que me he establecido de nuevo y que me encuentro de nuevo dictando mi manuscrito, al mismo tiempo para la editorial y para la habilitación. Algunos viejos amigos tienen puestos importantes y se ocupan de mí de una manera realmente conmovedora.[1] Pero el éxito ya no me hace feliz; todo resulta vago, insignificante y vano a mis ojos, me siento alejado de todo. Nada me importa ni significa nada para mí. Los mejores no han regresado (a mi mejor amigo, Hubert,[2] también lo decapitaron) y me han dejado solo. En el campo pensábamos que ya no podíamos llegar más bajo y luego, cuando volvimos, vimos que nada había valido la pena, que lo que nos había mantenido en pie estaba destruido, que en el momento en que volvíamos a ser personas aún podíamos caer más hondo, hundirnos en un dolor más insondable. Tal vez lo único que nos queda es llorar un poco y hojear los Salmos.

Puede que os riáis de mí, puede que os enfadéis conmigo; pero no me contradigo en lo más mínimo, no niego ni un ápice de mi antiguo optimismo viviendo las cosas tal y como os las cuento. Al contrario, si no hubiera tenido esa sólida concepción positiva de la vida, ¿qué hubiera sido de mí estas semanas y, aún más, durante los meses en el campo de concentración? Sin embargo, ahora veo las cosas desde otra perspectiva. Cada vez soy más consciente de que la vida tiene un sentido infinito, de que también el sufrimiento, e incluso el fracaso, tienen sentido. Y el único consuelo que me queda es que puedo decir con la conciencia tranquila que he utilizado las oportunidades que se me han brindado, quiero decir, que las he salvaguardado haciéndolas realidad. Esto puede aplicarse a mi breve matrimonio con Tilly. Nadie puede deshacer

1. Bruno Pittermann (1905-1983) fue el principal mentor de Viktor Frankl tras su regreso a Viena. Pittermann fue miembro del Consejo Nacional por el Partido Socialdemócrata entre 1945 y 1971 y vicecanciller con Bruno Kreisky entre 1957 y 1966. Frankl y Pittermann se conocieron en los años veinte, siendo ambos miembros de la Asociación de Estudiantes Socialistas de Secundaria.

2. Hubert Gsur, compañero de escalada de Viktor Frankl antes y durante la guerra y uno de sus mejores amigos, participó activamente en la resistencia de Viena. Gsur fue decapitado en la guillotina en 1944, acusado de alta traición y desmoralización del ejército. Viktor y Eleonore Frankl mantuvieron siempre contacto con su viuda, Erna Rappaport-Gsur.

lo que vivimos, eso ya fue, y quizá ese haber sido sea la forma más segura del ser.

Para terminar, tengo una buena noticia: ¡Vally vive, está en Viena, se encuentra bien de salud, ha estado viviendo escondido como «submarino» (clandestino)! Os dejo a vosotros la tarea de ir contando la verdad poco a poco a Stella y a mi suegro, así como a mi cuñado, Gustav D. Grosser. Desgraciadamente, es muy probable que Walter pasara también por Auschwitz. Disculpad mi escritura un tanto incoherente, pero tengo que escribir a ratos durante la consulta. Con cariño,

Vuestro, Viktor

Viktor Frankl y su primera esposa, Tilly Grosser,
el día de su boda, en diciembre de 1941.

A Rudolf Stenger,[3] Bad Wörishofen

30 de octubre de 1945

Querido Rudi:

He recibido tus cartas. Yo también he intentado repetidas veces hacerte llegar las mías —aparentemente sin éxito—. Después de recibir ayer la copia de tu carta, soñé que estábamos juntos. Nos alegrábamos mucho de volver a vernos y yo te daba con orgullo un ejemplar de *Psicoanálisis y existencialismo*, pero temblaba mientras esperaba a que empezaras a hojearlo, llegaras a la segunda página y encontraras estas tres palabras: a la memoria de Tilly.

En mi primera mañana en Viena supe que Tilly había muerto de tifus en Belsen. De momento, no he logrado averiguar si estaba entre los trece mil cadáveres que hallaron los ingleses durante la liberación o si fue una de las trece mil personas que murieron durante las primeras semanas posteriores a la liberación. Cuando supe la noticia, cogí mentalmente tu mano. Si hay alguien a quien no necesito contar en qué estado me encontraba entonces y durante todo este tiempo, ese eres tú. En todo caso, no esperaba que, después de todo lo sucedido, las cosas pudieran ir tan a peor. Por lo visto, la persona destinada a sufrir no encuentra un final: siempre puede hundirse más y más. De inmediato, me puse a trabajar. Mi mejor amigo, Hubert Gsur, fue decapitado en diciembre de 1944. En cambio, su mujer regresó de los campos de concentración. Naturalmente, la Gestapo había encontrado la copia que ellos tenían del manuscrito de mi libro. Pero la segunda copia, que había conservado un compañero con el que tenía amistad, ha aparecido. Ahora se trata de hacer el laborioso trabajo de completarla.

Nada me causa alegría. Todo ha perdido importancia. Ya no tengo hogar, ni tengo patria, ya no puedo echar raíces. Y todo está

3. Médico en el Hospital de Personas Desplazadas de Bad Wörishofen.

tan destrozado y es tan fantasmal, todo está tan cargado de recuerdos tristes o dulces, todos tan dolorosos. Tú puedes entenderme. Probablemente todo esto suena enormemente banal. No creo que vaya a vivir mucho más. No es que tema a la muerte ni que la desee. Solo es que tengo la sensación de no tener ya nada que buscar; se me ha concedido la gracia de poder poner por escrito lo esencial de aquello que tenía que decir. Todo lo demás me parece que fue arrogancia. Nunca fui digno de Tilly, eso ya lo sabía; ahora sé algo más: el mundo tampoco era digno de ella. Las palabras no funcionan frente a la tristeza. Nunca hubiera pensado que una persona pudiera estar tan sola y no morirse. Nunca hubiera pensado que morir pudiera resultarle tan fácil. [...]

Un simple cálculo de probabilidad muestra que si con 36 años encontré a Tilly, a los 72 volveré a tener la oportunidad. Obviamente, estoy haciendo una caricatura, una parodia de mí mismo, pero créeme, Rudi, en mi situación, parodiarse a uno mismo es todo un logro. Y estoy agradecido. Reconozco humildemente que nunca habría podido exigir una felicidad tan absoluta como la que me fue concedida. Y mi hijo espiritual nacerá también ahora —¿qué más puedo pedir?—.

El recuerdo de Tilly me proporciona el alimento necesario para vivir. Y la plenitud del sufrimiento me resulta algo así como una distinción, un estado cercano a algo superior. Tomo la Biblia y leo un rato el libro de Job. O como hice en el camión de vuelta de Múnich, con un mal presentimiento, hojeo los Salmos y leo: «Pon tu esperanza en el Señor. Ten valor, cobra ánimo. Pon tu esperanza en el Señor».

Tilly no me esperó.

Lo malo es hacerte consciente de la profundidad insondable del sufrimiento: en el campo pensabas que habías llegado a lo más hondo, pero esto solo ocurría cuando regresabas «libre» a «casa». Realmente libre —solo que demasiado libre—. Espero tu respuesta, Rudi. Te extiendo la mano y siento cómo me la estrechas. No me olvides,

Rudi, por favor. Soy muy pobre, muy pobre. Te necesito. Prométeme que tendrás paciencia conmigo. Yo os prometo a ti y al desaparecido Hubert que me esforzaré por ser digno de vuestra amistad.

Viktor

A Gustav y Ferdinand Grosser[4]

6 de noviembre de 1945

¡Querido Gustl, querido Ferdl!:

(¿Puedo llamaros así? No puedo evitarlo. Gracias a aquellos a los que ya nunca más veré, vosotros, los Grosser, a los que nunca he visto, sois como parte de mi familia...).

Si soy capaz de dirigirme directamente a vosotros con esta carta es porque sé que si hay alguien que tiene derecho a contaros la triste verdad, ese soy yo, pues para nadie puede ser esta más triste que para mí. Mi sufrimiento es infinito. Solo una persona que haya pasado por lo mismo puede entender lo que sufrí en el campo de concentración y comprender que lo único que me mantenía en pie es la esperanza de reunirme en un futuro con mi madre y mi esposa. Y entonces, estando en Múnich, llegó el día en que supe que (poco después que Tilly y yo) mi pobre anciana madre también había sido enviada a Auschwitz. Por desgracia, es evidente qué significa esto para una mujer de 65 años. Y más tarde, en Viena, me contaron lo que le había sucedido a Tilly...

4. Gustav y Ferdinand Grosser, hermano y padre respectivamente de Tilly (Mathilde) Grosser, primera mujer de Frankl (fallecida en 1945 en Bergen-Belsen). Ferdinand y Gustav Grosser pudieron emigrar a Porto Alegre (Brasil). Tilly y su madre, Emma Grosser (muerta en 1944 en Auschwitz), fueron deportadas a Terezín en 1942, junto con la familia Frankl.

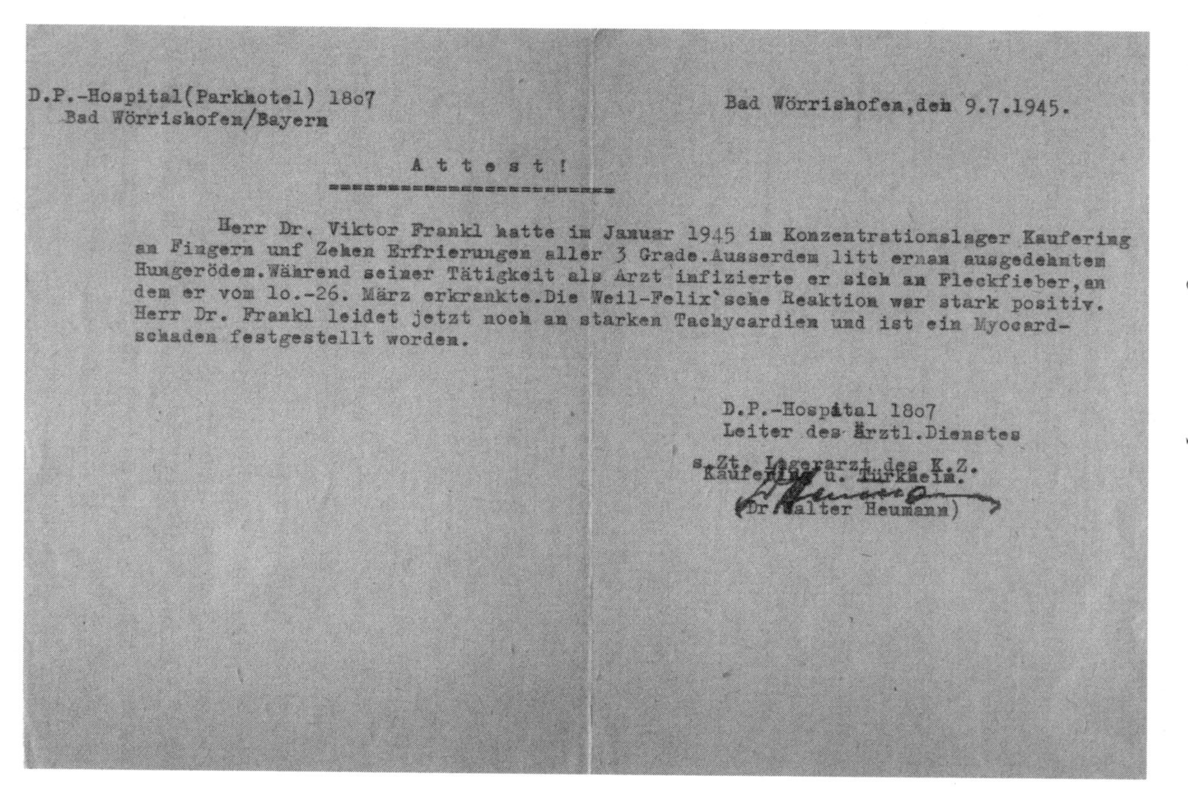

D.P.-Hospital(Parkhotel) 18o7
Bad Wörrishofen/Bayern

Bad Wörrishofen,den 9.7.1945.

A t t e s t !

Herr Dr. Viktor Frankl hatte im Januar 1945 im Konzentrationslager Kaufering an Fingern unf Zehen Erfrierungen aller 3 Grade.Ausserdem litt ernan ausgedehntem Hungerödem.Während seiner Tätigkeit als Arzt infizierte er sich an Fleckfieber,an dem er vom 1o.-26. März erkrankte.Die Weil-Felix'sche Reaktion war stark positiv. Herr Dr. Frankl leidet jetzt noch an starken Tachycardien und ist ein Myocard-schaden festgestellt worden.

D.P.-Hospital 18o7
Leiter des Ärztl.Dienstes

s.Zt. Lagerarzt des K.Z.
Kaufering u. Türkheim.
(Dr.Walter Heumann)

Certificado médico de Viktor Frankl, donde se alude, entre otras cosas, al tifus que padeció, así como a su miocardiopatía.

Queréis y debéis saber toda la verdad: mamá llegó a Auschwitz en 1944, a finales de la primavera (¡en Terezín nadie sabía que los trenes se dirigían allí!); podéis imaginaros todo lo que hice hasta el último momento para intentar evitar esta desgracia —todo en vano—. Recientemente me enteré de que las personas trasladadas permanecieron con vida hasta principios de agosto. Luego seleccionaron a unas cuantas chicas fuertes y las trasladaron —se entiende que a las demás las mataron en Auschwitz—.

En Auschwitz llegué a ver a Tilly y a hablar con ella. Le grité: «Ten en cuenta solo una cosa: ¡mantente viva a toda costa!». El mismo día de su llegada fue trasladada al campo de Kurzbach (Breslavia) a cavar zanjas. En enero del 45 marcharon a pie hacia el oeste y luego ya se les pierde el rastro. A pesar de todos los esfuerzos, no he podido averiguar cuándo llegó a Belsen y cuándo murió. Pero encontré una carta en la que una antigua compañera del hospital habla sobre ella: está gravemente enferma, ha sufrido cosas «espantosas, indescriptibles»; fue la única superviviente de las enfermeras del Hospital Rothschild —todas las demás murieron de tifus—. Y luego hay una lista de nombres, entre ellos el de «Tilly Frankl».

Una retornada me contó esas «cosas indescriptibles». Permíteme que guarde silencio. Para mí, lo más grande que he conocido en la vida se unió desgraciadamente con lo más mezquino que el mundo ha conocido.

Dios es testigo de que en mis primeros días en el campo de concentración de Kaufering (Dachau) quise hacer un pacto con el cielo: cuando vi que era humanamente imposible escapar de allí con vida, le pedí al Señor que aceptara mi vida a cambio de la de Tilly. Y todo lo que yo tuviera que aguantar hasta mi muerte debería servir para conseguir que mi madre, enferma del corazón, tuviera una muerte sin dolor.

Solo desde la perspectiva de este sacrificio podía soportar mi sufrimiento. Dios no aceptó el pacto. Pero no quiero quejarme. No puedo hacerlo. Tilly supuso para mí una felicidad tan grande mientras duró nuestro breve matrimonio que debo ser humilde. ¿Cuántas personas habrán experimentado la felicidad absoluta, aunque sea solo por un día?

Y a pesar de todo, ¿quién podría culparme por estar tan triste? Nos marchamos ocho personas y soy el único que ha vuelto con vida, pues muy probablemente mi hermano y su mujer también hayan sido enviados a Auschwitz desde Italia, donde estaban internados como civiles.

Aparte de mí, solo mi hermana (Stella Bondy) sigue viva en Australia. Y yo me encuentro aquí, en esta ciudad medio destruida, solo, sin hogar y sin patria. Nada tiene sentido para mí, nada logra alegrarme, ni siquiera el trabajo, aunque intento con ahínco anestesiarme con su ayuda. Acabo de terminar mi libro, que lleva por título *Psicoanálisis y existencialismo* y está dedicado «A la memoria de Tilly». Uno de los capítulos, a propósito, está dedicado a la «Psicología del campo de concentración», tema sobre el que también doy conferencias. Entretanto, vuelvo a dar clases en la Universidad Popular —como hice ya antes, durante diez años—. Dios me ha concedido la gracia de poder escribir por fin el libro (el primer manuscrito se perdió en Auschwitz, el segundo empecé a reconstruirlo en el campo durante las noches en vela, enfermo de tifus), y así poder decirle al mundo lo que tengo que decirle. Pero todo lo hago por un sentido del deber, sin la menor alegría. Creo que pronto moriré —no lo temo ni lo deseo, pero no sé qué más tendría que buscar aquí, en la Tierra—, y nunca habría pensado que morir pudiera ser tan fácil. No tengo nada que perder. Ya he tenido más de lo que me correspondía. Siempre he dicho muy seriamente que no era digno de Tilly. Ahora entiendo que, por lo visto, el mundo entero no era digno de una persona como ella.

No hay consuelo. Lo único que me queda es hojear de vez en cuando la Biblia. Pero aunque deje de estar desesperado, el abismo del dolor nunca termina. ¿Quién me ayudará cuando deje estas cuatro paredes y me pierda por Nußdorf, pase por la casa donde nació Tilly o por el *Beethovengang*, por donde paseé con ella por primera vez a principios de la primavera, y comience a llorar como un niño?

No puedo imaginarme el futuro sin ella. Por ella estudié portugués de forma autodidacta durante años, pues me habría ido a Brasil por ella y pensaba que Ferdl podría conseguirme allí una cátedra de psicoterapia.

Todas las cartas de Gustl me recuerdan al modo que tenía Tilly de expresar sus pensamientos; ¿acaso me acordaré aún más de ella a través de vosotros? ¿Es que no pienso ya cada hora en ella y sueño con ella por las noches? Y aún así os añoro, no sé si podéis entenderlo. Añoro la sangre, el espíritu y la carne de los que fue creada también Tilly. Tengo la firme intención de salir de aquí en cuanto pueda y visitar a mi hermana en Australia, a mis amigos en los Estados Unidos y a vosotros en Sudamérica. Supongo que habrá alguna forma de hacerlo, quizá organizando alguna conferencia (hablo bien inglés), de manera que los gastos del viaje estén cubiertos y yo no suponga una carga para nadie. Os pido, por favor, que sigáis en contacto con Wilhelm Börner, que está en los Estados Unidos, y con mi hermana.

Un abrazo de vuestro desdichado Viktor

Poemas 1945-1946

Sin fecha

Sois un peso tan grande para mí, mis muertos:
Estáis a mi lado como la obligación silenciosa
de existir por vosotros;
así que ahora
tengo que liquidar las deudas que la destrucción tiene con
[vosotros.
Lo que os quedaba por sufrir, debo sufrirlo yo ahora
y disfrutar de vuestro placer truncado

y terminar vuestros trabajos inacabados
y beber el sol cada mañana por vosotros
y mirar el cielo cada noche por vosotros [...]
Y saludar cada noche a las estrellas por vosotros
y construir el camino de cada día. (de mis días...)
Y escuchar por vosotros el sonido de los violines
y desear cada beso por vosotros...
Hasta que descubro que en cada resplandor
del sol está luchando por asomar vuestra mirada[.]
Hasta que me doy cuenta de que en cada flor
del árbol hay un muerto que me saluda.
Hasta que entiendo que prestáis a cada pájaro
vuestra voz para su canto:
¿es que ella quiere (o queréis vosotros) saludarme o tal vez decirme,
que me perdonáis por haber sobrevivido?

Viktor

30 de octubre de 1945

Aunque ya no vea más tus ojos,
tú estás ahí, invisible e inaudible:
¡estás a mi lado como una obligación silenciosa!
Por eso no creo en la destrucción de tu ser
y quiero seguir perteneciéndote
—mi vida es una sola promesa de fidelidad—.

31 de marzo de 1946

Como seguía esperando
a mi primavera,
cada marzo
me dolía más el corazón.
La impaciencia preguntaba: ¿cuándo llegará
por fin mi primavera?

Pero ahora que estoy más sosegado,
ahora que estoy más abandonado,
sonrío pensando en las primaveras
pues sé que ninguna florece para mí.
¿Hay una que florece de nuevo? ¿Una que se marchita?
—es para ella misma—.

PRIMARIUS DR. VIKTOR FRANKL
VORSTAND DER NEUROLOGISCHEN POLIKLINIK
WIEN IX, MARIANNENGASSE 1
ORD. 2—3 TEL. A 25-3-25

Rp.

Neuwaldegg 1946

Da ich noch wartete
auf meinen Frühling,
wurde mit jedem März
schwerer das Herz.
Ungeduld fragte: wann k
kommt denn mein Frühling?
Groll fragte: wann kommt er
endlich für mich?

Jetzt aber, wo ich gelassener bin,
jetzt aber: seit ich verlassener bi
lächle ich über die Frühlinge hin,
wissend: kein einziger blühte für
mich!
Blüht einer wieder – verblüht er
für sich.

Poema del 31 de marzo de 1946. «Como seguía esperando / a mi primavera, / cada marzo / me dolía más el corazón [...]».

Sin fecha

Serafín,
el que no me negó
no: el que me promete el Edén;
ensueño de medianoche
capricho del sueño al amanecer...
tú, dispuesta a sacrificarte por compasión
—mira: yo también estoy dispuesto
a rendirme—.

A Stella Bondy[5]

17 de noviembre de 1945

¡Querida Stella!:

Por fin puedo escribirte. Por desgracia solo cosas sumamente tristes. Seguro que los Börner ya te habrán dicho que papá murió en Terezín, en mis brazos, el 13 de febrero de 1943. Sus últimos días le hice creer que la guerra acabaría pronto y que pronto estaríamos con vosotros, que habías escrito y habías enviado una foto de Peterl,[6] y que se parecía mucho a él; él lo creyó todo. Le inyecté morfina para que no tuviera que pasar por una agonía en sus últimas horas. Ferda[7] hizo el discurso junto al féretro. Poco antes de morir, papá seguía siendo muy cariñoso con mamá, que estaba profundamente

5. Stella, hermana de Viktor Frankl, casada con Walter Bondy. Stella y Walter Bondy consiguieron huir a Australia en 1939. Ella fue la única familiar directa de Viktor Frankl que sobrevivió.
6. Hijo de Stella y Walter Bondy.
7. Robert Ferda (1889-1944, Auschwitz), rabino checo.

conmovida pero fue muy valiente. Después, yo era lo único que ella tenía y, en la medida de lo posible, intenté hacerle sus últimos años más agradables.

Hasta que en octubre de 1944 llegué a Auschwitz. A pesar de que se lo había prohibido, Tilly se presentó voluntaria a mis espaldas y, aunque no se lo concedieron a nadie más, desgraciadamente ella sí obtuvo el permiso (pensábamos que iría a una fábrica de armamento). Fuimos de los pocos que escapamos de la cámara de gas. A ella la llevaron al campo de Kurzbach (Breslavia) a cavar zanjas, y luego a Belsen, donde murió de tifus. Esto no lo supe hasta agosto, cuando llegué a Viena, procedente de Múnich.

En Múnich me enteré también de que es muy probable que mamá tampoco esté viva. Tampoco he tenido noticias de Walter ni de Elsa. No te puedes imaginar mi estado de ánimo. Pero al menos sé que cumplí con mi obligación hasta el final. Poco antes de morir, papá me dijo: «Tienes mi *J'worech'cho*...».[8]

Lo que tuve que sufrir en los diferentes campos de concentración es difícil de describir y solo alguien que haya padecido lo mismo puede entenderlo. Lo único que me mantenía en pie era la esperanza de volver a ver a mamá y a Tilly. Cuando vi que era muy poco probable que saliéramos con vida de allí, le ofrecí al cielo —Dios es testigo— mi vida por la suya. Pero mi ofrecimiento no fue aceptado...

Vivo únicamente para el trabajo. Estando aún en el campo, por las noches, enfermo de tifus, empecé a reescribir el manuscrito de *Psicoanálisis y existencialismo*, que me quitaron en Auschwitz junto con el resto de mis cosas (excepto las gafas). El Dios de los milagros, que hizo que yo fuera uno de los pocos supervivientes de entre mis compañeros, me ha otorgado la gracia de poder terminar mi libro, que he presentado también como disertación para mi habilitación como docente. Para mí no existe la alegría. Y casi no me quedan amigos.

8. También *Yevarechacha* (en hebreo): «Bendición», «Que Dios te bendiga».

Hubert Gsur, el marido de Erna Rappaport, fue decapitado en el Tribunal Estatal. Erna regresó del tristemente célebre campo de Ravensbrück. El doctor Polak[9] está aquí. Viena está espantosa, especialmente Leopoldstadt. Nuestra casa tampoco tiene tejado. Tengo un apartamento en el Mariannengasse 1 (Viena IX). Todavía no sé si me quedaré en Viena. En cualquier caso, me gustaría visitaros, quizá haciendo un ciclo de conferencias por los Estados Unidos y Brasil (mi suegro, el profesor Ferdinand Grosser, de Porto Alegre —¡escribidle!—, ha tenido la amabilidad de invitarme; después de que se le haya muerto su hija y de que hayan matado a su mujer en la cámara de gas, el pobre dice que, como esposo de Tilly, soy parte de su familia).

En todo caso, os añoro mucho a ti y a los tuyos. ¿Cómo os va a vosotros? Que Dios os bendiga al menos a vosotros. Escribidme pronto y, si es posible, enviadme paquetes. Acordaos de mí y no me olvidéis. Soy tan pobre.

Viki

A Stepha y Wilhelm Börner

19 de diciembre de 1945

¡Querida Stepha, querido Wilhelm!:

Hace días que recibí vuestra carta del 22 de noviembre. Tras dar algún rodeo, encontré a la señora Hofrat en una residencia de Cári-

9. Paul Polak, neurólogo y psiquiatra, uno de los primeros amigos y compañeros de Viktor y Eleonore Frankl; sobrevivió a la dominación nazi en Viena. Fue autor de los primeros textos de bibliografía secundaria sobre logoterapia y análisis existencial.

tas. Está muy tranquila y todavía espera tener noticias de sus hijas, que en su día también fueron conducidas a Auschwitz. No le quité la esperanza... En Terezín conocí bien a su hija Liselotte; trabajó como asistente en la sección de higiene mental que dirigí y que las SS camuflaron con la denominación de «atención sanitaria».

Se presentó voluntaria. Si existen los santos y hay alguna persona que yo haya conocido que merezca ese nombre, esa persona es Liselotte Fuchs. Aprendí muchas cosas de ella. Daba conferencias en una tertulia católica y una vez ante las cuidadoras que tenía bajo mi mando. ¡Fue lo más bonito que uno se pueda imaginar con relación a este tema! Claro y sencillo, como ella misma —y al mismo tiempo de una profundidad humana y de una riqueza de pensamiento filosófica y religiosa de la que ella no era consciente, pero que difícilmente podría ser superada—. En pocas palabras, una persona magnífica, excepcional. Su mirada, su forma de hablar y de caminar: todo llamaba enseguida la atención. Al verla, uno sentía: *«ecce homo»*, ¡he aquí un ser humano! Y a la vez era la persona más humilde que uno se pueda imaginar. Siempre vuelve a confirmarse lo mismo, eso que hace que mi dolor personal, por ejemplo, pase a un segundo plano: los mejores no regresaron... Gracias por las amables palabras que habéis escrito sobre Tilly, aún sin conocerla.

Hace dos días fue nuestro cuarto aniversario de bodas. En cuanto a mí, pronto se publicará mi libro *Psicoanálisis y existencialismo*; el mayor impedimento para la publicación es la escasez de papel. Hasta entonces no podré ser profesor. Tal vez obtenga la jefatura de neurología en la Policlínica —lo están intentando...—. Yo no hago nada por conseguirlo. Ya no tengo ambición, estoy muy cansado.

Aun así, he acabado de dictar un segundo libro, más pequeño: *Un psicólogo en un campo de concentración.*[10] Me gustaría que se pu-

10. Título original de *... trotzdem ja zum Leben sagen*, que en castellano se tradujo como *El hombre en busca de sentido*.

blicara sobre todo en otros países. ¿Queréis intentar llevarle una copia del manuscrito al editor? Una cosa más, para terminar: el 10 de enero de 1946 a las 19:15 horas, hora local, hablaré en Radio Viena (RAVAG).[11] ¿Podrá escucharme Stella?

Vuestro, Viktor

A Stella Bondy

24 de enero de 1946

¡Querida hermana!:

Por fin ha llegado a mis manos una carta tuya. Solo puedo decir: «... *schechejonu*...».[12]

Mi más sincero agradecimiento a ti y a Walter por el visado,[13] del que ya tengo la copia; soy plenamente consciente de que inmediatamente os pusisteis a pensar en ello y a hacer lo necesario para conseguirlo, así como del ajetreo y demás sacrificios que os habrá supuesto.

Tengo la firme intención de visitaros. Ya la tenía antes de recibir el visado. Pero no pienso quedarme mucho tiempo, porque vosotros no podéis mantenerme. [...] Mi intención es más bien comenzar un viaje en cuanto me sea posible. Estoy pensando en dar un ciclo de

11. Radio Verkehrs AG [Sociedad Limitada de Radio Comunicación], grupo estatal encargado de la radiodifusión en Austria antes de la anexión de Austria a Alemania. *(N. de la T.)*

12. También *Scheheyanu* (del hebreo). El significado de esta bendición es: «Bendito seas tú, Dios, que nos diste la vida, nos sostuviste y nos permitiste llegar a este momento».

13. Se refiere al permiso de entrada a Australia que le consiguieron Stella y Walter Bondy.

45/3/2068/5

FEE.—£1 (One Pound.) Form No. 41.

COMMONWEALTH OF AUSTRALIA.

IMMIGRATION
DEPARTMENT OF ~~INTERIOR~~,
CANBERRA, A.C.T.,

Permit Nº 38604

2nd November, 1945

LANDING PERMIT.

To whom it may concern:

THIS IS TO CERTIFY that permission has been granted for the admission to Australia of the undermentioned person or persons (One (1) in number), said to be of Ex-Austrian nationality, at present residing in Germany whose maintenance on arrival in Australia has been guaranteed by Mr. Walter Bondy & Stella Bondy of 6 Kingsley St., Elwood S.3

This authority has been granted subject to the conditions that such person or persons shall be ~~xxxxxxxxxxx~~, of good character, and in possession of a valid Passport or Certificate of Identity, bearing photograph of the holder , and duly visaed (if not issued) by a British Consular or Passport Officer, and subject to any further conditions which may be stated below.

This Permit is valid until 2nd November, 1947

NAME.	AGE.	RELATIONSHIP (if any) TO GUARANTOR.
Dr. Victor FRANKL	40	Brother

NOTE: This permit is subject to conditions that the Bearer produce to the British Consular or Passport Officer to whom he applies for a visa for Australia a satisfactory Medical Certificate on the attached form and evidence of good character.

Transmitted per
Mr. Walter Bondy & Stella Bondy,
6 Kingsley Street,
ELWOOD, S.3. Vic.

By authority of the Minister for ~~Interior~~ IMMIGRATION.

NOTE.—This Permit should be forwarded to the person in whose favour it has been issued (or to the chief member of the party if more than one person is included in the Permit) for production when applying for passport facilities or steamer passage tickets, and for production and surrender to the Examining Officer of Customs at the Australian port of disembarkation.

If an extension of this Permit is desired, application should be addressed to the Department of the Interior. A fee of 10/- (ten shillings) is payable for each year's extension authorized.

By Authority: L. F. Johnston, Commonwealth Government Printer, Canberra.

Visado de viaje para Australia, donde vivía Stella.
Ella y su marido pudieron huir hacia allí en 1939.

conferencias por los Estados Unidos y por Brasil (mi suegro, el profesor Ferdinand Grosser, de Porto Alegre, al que todavía no conozco en persona, mi invitó a ir a Brasil en una carta muy cordial y su propósito es conseguirme allí una cátedra), y finalmente ir a visitaros a vosotros.

Pronto se publicarán dos libros míos, uno más largo sobre psicoterapia (*Psicoanálisis y existencialismo*, en la editorial Deuticke) y uno más breve *(Un psicólogo en un campo de concentración)*. Este último, por ser tan personal, se publicará en Austria, firmado solo con mi número de prisionero. El primero es a la vez mi disertación para la habilitación como catedrático. Por cierto, dentro de unos días el alcalde (el general Körner) me nombrará jefe del departamento de neurología de la Policlínica. [...]

La semana pasada hablé en la radio sobre el suicidio. Parece ser que tengo una voz muy radiofónica. He recibido muchas cartas entusiastas de personas desconocidas, de habitaciones enteras del hospital para enfermos terminales, etc. ¡Es la primera vez que siento alegría desde que regresé a Viena!

Creo que mis libros me abrirán el camino a poder dar charlas, etc., en otros países, así, si consigo hacer estos ciclos de conferencias, no seré una carga económica para todos vosotros. Y tal vez alguien me ofrezca una cátedra en algún lugar, mientras que aquí, el *Roschegeist*,[14] que no ha desaparecido en absoluto (especialmente en la Universidad), frustraría todos mis proyectos. El inglés lo hablo bastante bien.

Te adjunto una entrevista aparecida aquí recientemente. [...] Como verás, tengo muchas novedades. Pero estoy deseando recibir noticias tuyas. ¿Por qué no me cuentas nada de la familia de Walter, de sus padres y sus hermanas? Como yo no estoy embarazado, puedes escribirme todo lo que quieras. Yo te he contado todo lo que sé. [...]

14. La expresión hace referencia a alguien que disfruta mortificando a los judíos, no dejándoles descansar ni siquiera durante el *sabbat*. Aquí se utiliza en el sentido de antisemitismo.

VIKTOR E. FRANKL

Ärztliche Seelsorge

Neuerscheinung!

Ein Buch für jeden Arzt
aber auch für jeden Menschen
der um den Sinn des Lebens
und des Leidens ringt

FRANZ DEUTICKE WIEN
1946

Portada de Psicoanálisis y existencialismo.

Portada de Un psicólogo en un campo de concentración
(El hombre en busca de sentido).

Y con esto quiero finalizar por ahora. Espero que podamos escribirnos regularmente, como en «aquella vez en mayo»,[15] o sea, todas las semanas. Sería estupendo. [...] Queridísima Stellita, ¡si supieras cuántas veces he soñado contigo durante todos estos años! ¡Y ahora Dios ha hecho que pronto vaya a poder abrazarte! Y además —esta es la gracia verdadera—, con la conciencia tranquila, porque, dentro de lo que humana y modestamente pude, logré ser durante algunos años un apoyo y una pequeña alegría para nuestros padres. Así que no estés triste, mi querida hermanita, piensa en lo valientes que fueron nuestros buenos padres hasta el final, especialmente al final, e intenta hacer como ellos, es decir, ¡piensa en tus hijos! Cuando te cuente en persona y detalladamente, Dios quiera que pueda hacerlo, cuántas pequeñas alegrías les fueron concedidas hasta el último momento, verás que tengo razón al decirte que no tienes que entristecerte innecesariamente. Su bendición recae en ti y en tus hijos y la bendición de tus padres te hará fuerte y feliz. Amén.

Te envío un beso. Saluda a los tuyos, también a Peter y —por adelantado— a tu segundo hijo.

Tu hermano

P. D.: Si conocéis a alguien que quiera traducir al inglés mi libro *Un psicólogo en un campo de concentración* y publicarlo allí, enviádmelo enseguida.

15. *Como aquella vez en mayo* (*Wie einst im Mai*) es una de las operetas más conocidas del compositor Walter Kollo. *(N. de la T.)*

Una persona a mi lado que fue capaz de darle la vuelta a todo

A Stella Bondy

Primavera de 1946

¡Querida hermana, queridísimos sobrinos!

Me siento realmente culpable por no haberos escrito en tanto tiempo. Pero, en primer lugar, he tenido muy poco tiempo, de verdad —y si os escribo una carta, quiero tomarme todo el tiempo que necesite—, y, además, siempre estoy esperando a poder daros noticias definitivas. [...] El día que Stellita me escribió su carta, el 27 de abril, celebraba el aniversario de mi liberación del campo de concentración de Türkheim, en Baviera. En recuerdo de mi piadoso padre, ayuné desde la víspera hasta la tarde y por la mañana —era sábado— fui al templo, que acababa de ser restaurado, leí la Torá, pronuncié el *Gaumel benschen*[1] y doné cien chelines a la KZ-Verband.[2]

Aprovecho la ocasión para deciros que gano bastante, no debéis preocuparos. [...] *Psicoanálisis y existencialismo* ha sido un éxito rotundo. La primera edición se ha agotado en unos días, la segunda (de más ejemplares que la primera) fue enviada a imprenta antes de poner la primera a la venta; el gobierno militar francés envió ya las galeradas a París para ser traducidas; en opinión de los más serios críticos, el

1. También *Gomel benschen;* es una bendición que, tras leer la Torá, pronuncia quien ha escapado de alguna situación peligrosa o se ha recuperado de una enfermedad grave.

2. La KZ-Verband [Asociación Austriaca de Resistentes y Víctimas del Fascismo] era una organización antifascista que reunía a diferentes grupos de víctimas del nazismo. *(N. de la T.)*

libro es la más importante de las obras publicadas recientemente en la nueva Austria; la Iglesia católica ya tiene también una posición oficial y la archidiócesis hizo un encargo a un médico y al mismo tiempo profesor de medicina pastoral en la Facultad de Teología, quien ha escrito veintitrés páginas mecanografiadas para el anuario de la Academia Católica, en las que, con toda seriedad, presenta mi libro como la culminación de la psicoterapia y afirma que lo que digo sobre el sentido del sufrimiento está a la altura de lo mejor que se ha dicho sobre el tema desde la perspectiva de la filosofía cristiana. Muchas personas intentan conseguir un ejemplar de la primera edición, porque la segunda no saldrá hasta dentro de unos días.

Evidentemente, también recibo ataques, pero tener enemigos es un honor. Hace unos días pasaba por la calle de la Universidad y, al escuchar que alguien estaba tocando el órgano, como tenía un rato, entré —por primera vez en mis 41 años— en la Iglesia Votiva. El *galloch*[3] estaba subido al púlpito y empezó un sermón sobre el hecho de que allí al lado, en el Berggasse, había vivido Freud, y de que la Iglesia no podía aprobar sus teorías. Ya me marchaba pero, de repente, no podía creer lo que estaba oyendo. El párroco empezó a decir: en Mariannengasse vive también un médico que ha escrito un libro sobre la cura médica de las almas; su intención es buena, pero se trata de un libro pagano, porque no se puede hablar del sentido de la vida sin hablar de Dios (¡como si por ser médico tuviera yo el derecho o, aún más, la obligación de hacerlo!), y cosas por el estilo.

Cuando me dirigí a él y me presenté, pensé que «le iba a dar algo». ¿Qué me decís de esta «casualidad»? ¡Entrar en la iglesia inesperadamente por primera vez en 41 años en el preciso momento en el que alguien está hablando sobre mí! En unos días se publica el segundo libro, *Un psicólogo en un campo de concentración*. El tercero ya lo tengo escrito. El cuarto lo escribirán una serie de personas prestigiosas de diversas disciplinas que opinan sobre el análisis exis-

3. También *gallach* (yidis): «predicador, pastor».

tencial. Probablemente iré pronto a la Universidad de Zúrich a dar una conferencia. Sartre, el filósofo francés, me ha dado las gracias por el libro y piensa venir a Viena en invierno —me han utilizado como gancho para convencerlo—. [...] Las entradas para mi conferencia en la Musikverein[4] se agotaron, así que tuve que repetirla, y la sala se llenó de nuevo. Todo el mundo quiere un artículo mío. Os envío algunos más junto con el segundo libro.

Leo Korten me envió en un paquete comida y un jersey de punto de vuestra parte. [...] Los Horecki[5] me escribieron desde México y parece que también me han enviado un paquete. No os preocupéis; naturalmente, puedo necesitar alguna cosa, pero, después de todo, el hospital judío (en el Malzgasse), en el que continúo trabajando (aunque rara vez voy), sigue dándome la comida, que por cierto es muy buena, y, además, como exprisionero, recibo cada quince días un paquete de la Cruz Roja estadounidense. [...]

Por lo demás, tampoco tengo preocupaciones y desde hace unas semanas mi estado de ánimo ya no es tan sombrío, pues he empezado a salir con una chica (no solo a hablar, sino a salir) que me quiere muchísimo y que es una persona absolutamente extraordinaria. Es asistente técnica del departamento dental de la Policlínica. Es una mujer buena y guapa. Su forma de hablar me recordó al principio a la de vuestra Milla,[6] su forma de ser, más a Tilly. Únicamente tiene un gran defecto: tiene solo 20 años.[7] No le importa que no le haga promesas ni le dé esperanzas. Además, tengo desde hace unos meses un buen amigo, un periodista muy inteligente, que me tiene por un genio, cosa que él mismo es.[8] A Erna Rappaport-Gsur y al

4. Edificio vienés que aloja instituciones musicales y salas de conciertos. *(N. de la T.)*

5. La prima de Viktor Frankl y su marido, que habían emigrado a México.

6. Hermana de Walter Bondy, médica en París.

7. Se refiere a Eleonore Katharina Schwindt, con quien contrajo matrimonio en 1947.

8. Presumiblemente se trata de Hans Weigel (véase *infra*, p. 104, n. 30).

ÖSTERREICHISCHE KULTURVEREINIGUNG

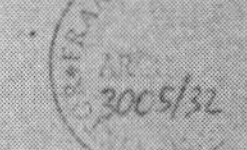

VORTRÄGE

AUS

KUNST UND WISSENSCHAFT

IM

KAMMERSAAL DES MUSIKVEREINSGEBÄUDES

Mittwoch, den 3. April 1946, 18.30 Uhr
PRIM. DR. MED. VIKTOR FRANKL
„Seelische Krankheit als geistige Not"
(Psychoanalyse oder Existenzanalyse)

Mittwoch, den 10. April 1946, 18.30 Uhr
PROF. DR. DAGOBERT FREY
„Englisches Wesen in der bildenden Kunst"

Eintrittskarten in der Kartenverkaufsstelle der Ö. K. V., I., Wipplingerstraße 23, und an der Musikvereinskasse

Anuncio de la conferencia de Viktor Frankl en la Musikverein de Viena el 3 de abril de 1946.

doctor Polak los tengo cerca. La tía Mizzi[9] me visita a menudo [...]. Es de toda confianza y desde que llegó Hitler se porta muy bien con todos nosotros, se arriesgaba para enviarnos paquetes a Terezín, etc. Ahora que puedo, la ayudo un poco con alimentos.

Tened paciencia, cuando llegue a su punto máximo este auge repentino que estoy viviendo, si Dios quiere, recibiré invitaciones y no tendré que ir como refugiado. Quiero ser un honor[10] para vosotros, no una deshonra. Que Dios me ayude. Todavía no he conseguido plaza de profesor aquí, lo que no es de extrañar, teniendo en cuenta el antisemitismo que aún reina, sobre todo en los círculos universitarios. Cuando, con la ayuda de Dios, esté preparado y se me conceda la gracia de seguir con mi carrera, entonces no daré fama a la Universidad de Viena, pero ella a mí tampoco —como alguien dijo una vez de otra persona—, pues, gracias a Dios, gozo de cierto «renombre», al menos ya no necesito adornarme con un grado académico. [La carta se conserva incompleta en el archivo].

A Rudolf Stenger

10 de mayo de 1946

¡Querido Rudi!:

He recibido tu carta. Yo también he intentado hacerte llegar mi correo —por lo visto sin éxito—. Por último, te envié por mediación de un oficial estadounidense uno de los primeros ejemplares del libro que publiqué a principios de abril. ¿Lo has recibido?

9. Maria Lion, viuda de Erwin Lion, tío materno de Viktor Frankl.
10. En hebreo en el original *(Kowed)*.

Lo he presentado como disertación para la habilitación en el decanato de medicina de la Universidad de Viena. La cuestión es si conseguirá imponerse el antisemitismo que sigue imperando en la alma máter local, pero eso es algo que sinceramente me interesa muy poco. Ya puedes imaginarte «cuánta» ambición tengo todavía...

Finalmente fue la editorial médica Franz Deuticke de Viena la que aceptó publicar el libro. Y no tuvo que arrepentirse. Fue un gran éxito, superó todas las expectativas (al menos las mías). Cuando la primera edición no estaba todavía en las librerías, tuvieron que enviar a imprenta la segunda —aún mayor que la primera—. Los círculos católicos, las revistas y los periódicos católicos, están especialmente entusiasmados. La Iglesia acaba de hacer una declaración oficiosa en la que, con toda seriedad, se presenta el análisis existencial como la culminación de la psicoterapia y se afirma, por ejemplo, que muchas cosas de mi libro son comparables a lo mejor que la *philosophia crucis* cristiana ha dicho hasta ahora sobre el tema del sufrimiento. Otros recensores de las revistas más importantes de Austria consideran que el libro es la más importante de todas las publicaciones aparecidas recientemente en el mercado editorial vienés. La ocupación francesa, por su parte, ya ha enviado las galeradas a París para que se inicie la traducción del libro al francés. El libro se ha enviado entre otros a Erich Kästner, en Múnich, y a algunos amigos de Londres y los Estados Unidos. Me he vuelto famoso de la noche a la mañana a partir de unas cuantas conferencias en diferentes lugares y pequeños comentarios inofensivos sobre obras de teatro modernas. La gente se pelea por mis artículos y conferencias. Voy a convertirme en el psicoterapeuta de los artistas vieneses. Se agotaron las entradas para una conferencia en la Musikverein y también para la repetición de anteayer. ¿Que si todo esto me alegra? Tú mismo puedes responderte. Pero créeme, para mí la pregunta crucial es por qué fui el único de todos mis amigos vieneses que sobrevivió —tuvo que sobrevivir— a Auschwitz, Kaufering y Türkheim...

Poco después de terminar con el manuscrito del primero, hice un segundo libro, más breve, cuya publicación dentro de unas semanas despierta una gran expectación. Es el primer volumen de una colección de «Documentos Austriacos sobre Historia Contemporánea». Su título es *Un psicólogo en un campo de concentración*. Es un libro personal. Y ya tengo listo un tercer manuscrito: tres conferencias que impartí en la Universidad Popular de Viena sobre el sentido de la vida, incluida la cuestión de la eutanasia, y la psicología de los campos de concentración.

Un hombre con el que había entablado cierta amistad[11] y que, cuando llegué a Viena, era secretario de un ministro, me consiguió un piso en un abrir y cerrar de ojos [...]. Y luego empezó a animarme a que me esforzara por convertirme en director de la sección de neurología del Policlínico, un puesto muy apreciado, al que llegué en febrero. Lo que me causaba dolor era la nostalgia de pensar lo mucho que me hubiera gustado tenerte como asistente. Por lo demás, estoy esperando recibir próximamente una invitación para dar unas conferencias en la Universidad de Zúrich.

¡Querido amigo! Para mí es muy importante que sepas cómo he estado y cómo estoy ahora. Gracias a Dios hay bastante diferencia entre antes y ahora. Desde hace unos días no puedo volver a hablarte de cómo «estaba», pues hace poco que las cosas «son» diferentes, seguro que ya sabes a qué me refiero. Ya te contaré más detalladamente. De momento, no hay nada definitivo. Pero para que sepas cómo me encontraba hasta hace muy poco, te envío un fragmento de una carta que te escribí el 30 de octubre del pasado año.

Allí dice:

> Nada me causa alegría. Todo ha perdido importancia. Ya no tengo hogar, ni tengo patria, ya no puedo echar raíces. Y todo está tan destrozado y es tan fantasmal, todo está tan cargado de recuer-

11. Se refiere a Bruno Pittermann (véase *supra*, p. 54, n. 1).

dos tristes o dulces, todos tan dolorosos. Tú puedes entenderme. Probablemente todo esto suena enormemente banal. No creo que vaya a vivir mucho más. No es que tema a la muerte ni que la desee. Solo es que tengo la sensación de no tener ya nada que buscar; se me ha concedido la gracia de poder poner por escrito lo esencial de aquello que tenía que decir. Todo lo demás me parece que fue arrogancia. Nunca fui digno de Tilly, eso ya lo sabía; ahora sé algo más: el mundo tampoco era digno de ella. Las palabras no funcionan frente a la tristeza. Nunca hubiera pensado que una persona pudiera estar tan sola y no morirse. Nunca hubiera pensado que morir pudiera resultarle tan fácil. [...]

Un simple cálculo de probabilidad muestra que si con 36 años encontré a Tilly, a los 72 volveré a tener la oportunidad. Obviamente, estoy haciendo una caricatura, una parodia de mí mismo, pero créeme, Rudi, en mi situación, parodiarse a uno mismo es todo un logro. Y estoy agradecido. Reconozco humildemente que nunca habría podido exigir una felicidad tan absoluta como la que me fue concedida. Y mi hijo espiritual nacerá también ahora —¿qué más puedo pedir?—.

El recuerdo de Tilly me proporciona el alimento necesario para vivir. Y la plenitud del sufrimiento me resulta algo así como una distinción, un estado cercano a algo superior. Tomo la Biblia y leo un rato el libro de Job. O como hice en el camión de vuelta de Múnich, con un mal presentimiento, hojeo los Salmos y leo: «Pon tu esperanza en el Señor. Ten valor, cobra ánimo. Pon tu esperanza en el Señor».

Tilly no me esperó.

Lo malo es hacerte consciente de la profundidad insondable del sufrimiento: en el campo pensabas que habías llegado a lo más hondo, pero esto solo ocurría cuando regresabas «libre» a «casa». Realmente libre —solo que demasiado libre—. Espero tu respuesta, Rudi. Te extiendo la mano y siento cómo me la estrechas. No me olvides, Rudi, por favor. Soy muy pobre, muy

> pobre. Te necesito. Prométeme que tendrás paciencia conmigo. Yo os prometo a ti y al desaparecido Hubert que me esforzaré por ser digno de vuestra amistad.[12]

Tal vez es mejor que nunca te llegara esa carta. Quizá hubieras temido demasiado por mí. Y ahora, imagínate, saboreé esta soledad hasta el exceso, hasta un punto físicamente doloroso, hasta las Pascuas, pues desde entonces —con este dato es suficiente por hoy— hay una persona a mi lado que ha sido capaz de darle de golpe la vuelta a todo. Vista desde fuera, la situación es prácticamente catastrófica, pues esta persona tiene apenas 20 años. Pero, visto desde dentro, tanto desde su punto de vista como desde el mío, la diferencia de edad no cambia lo que nos ha sucedido, sino que sirve más bien como prueba de ello.

Por favor, Rudi, busca la manera de que pueda hacerte llegar con toda seguridad mis libros y algún que otro artículo. Si es preciso, ponte en contacto con la secretaria del jefe de la emisora de radio de Múnich; tal vez ella pueda escribirme a través de una buena amiga, la señora Eva Fuchs [dirección tachada], y yo pueda enviarte los libros por la misma vía. Te ruego que le transmitas a la señora Otto mis más cordiales saludos. Saluda también de mi parte a Bert —si ya está en libertad—, a Ursula, a Hildegard,[13] al doctor Heumann[14] y a su mujer, aunque no la conozco, [...] así como a todos los compañeros de los campos de concentración, si es que siguen estando con vosotros y creéis que me apreciaban. No he olvidado nada ni a nadie, ni tampoco quiero ni pienso hacerlo. Si me lo merezco, lo mismo ocurrirá con vosotros. Así lo espero y lo deseo.

Tu amigo, Viktor

12. Véase la carta a Rudolf Stenger del 30 de octubre de 1945, *supra*, pp. 57-59.

13. Probablemente enfermeras del hospital de Bad Wörishofen.

14. Médico al que Frankl designó como su sucesor en el Hospital para Personas Desplazadas de Bad Wörishofen.

A Stella Bondy

11 de agosto de 1946

¡Querida hermanita!

No voy a dictar esta carta a mi secretaria, prefiero escribirla a solas. Es domingo por la mañana, un día soleado, pronto me recogerán y nos iremos al Neuwaldegger Bad; en mi habitación suena la música de la radio y, por lo demás, todo está bien y, gracias a Dios, tengo salud y estoy contento. Esta semana he recibido paquetes, entre ellos dos paquetes CARE[15] grandes de golpe. Así que estoy libre de preocupaciones y tú tampoco tienes que preocuparte por mí. «Estate siempre alegre, Dios te ayudará», decía nuestro bendito padre (recientemente incluso, en el tren a Terezín). Hace una semana que llegué de los quince días de vacaciones que pasé con mi novia en los Alpes Rax (en el refugio de Ottohaus).[16] Tuvimos un tiempo excelente y bastante comida —aunque solo gracias a que me había llevado todas las conservas que me quedaban—. La segunda semana fui a escalar y, gracias a Dios, pude subir finalmente al Malersteig a pesar de la lluvia y, por lo tanto, sin gafas, sin pies de gato (solo con calcetines) y cargado con 35 metros de cuerda (sin mochila); llegué primero (o sea, en cabeza), naturalmente acompañado por un guía que contratamos; subí tranquilo y seguro y no me cansé: ¡todo eso después de no haber escalado en cinco años, con 41 años a mis espaldas, siete de ellos con Hitler y tres en campos de concentración, y probablemente con una pequeña miocardiopatía como consecuencia del tifus! Hice muchas fotografías con la cámara tipo

15. Organización estadounidense fundada en 1945; enviaba paquetes de ayuda humanitaria a los supervivientes de la Segunda Guerra Mundial. *(N. de la T.)*

16. Una de las montañas preferidas de Frankl para la escalada. Meseta de los Alpes en la frontera entre Baja Austria y Estiria, un destino de excursión en Viena (montañas «Hausberg»). Ottohaus: refugio de montaña a 1 644 metros de altura.

Leica de mi novia; en dos semanas estarán reveladas las fotos. Si sale alguna bonita, ojalá, os la enviaré junto con fotos mías y de Viena bombardeada que hice para vosotros. Sobre vuestra carta del 3 de julio: me alegro muchísimo del nacimiento de Elisabeth Judith. ¡Que Dios bendiga a tus hijos! Recibí el cable.

Muchos saludos de mi parte a mamá Bondy y a tu suegro y, ni qué decir tiene, a Walter, del que siempre he estado muy orgulloso y del que hablo muy a menudo, sobre todo en referencia a [...] sus vuelos en planeador y a sus hazañas alpinistas, particularmente justo debajo del Fensterl, en el Akademikersteig (hasta que fui con él y finalmente le ayudé a colocar las fijaciones). Pregúntale, él sabrá decirte de dónde queríamos ir los dos (al Fensterl, naturalmente...). En cuanto a tu pregunta sobre mi vestuario, no me puedes aplicar los estándares australianos: tengo unas cuantas camisas y calcetines, dos calzoncillos cortos, tres largos, un traje regalado, uno hecho a mano (de tela robada) y uno encontrado —como cualquier exprisionero—: todo, desde lo primero hasta lo último, regalo de los campesinos bávaros (lo de «robado» no es en serio: en su momento el alcalde nos suministró ropa de los almacenes de la OT[17] y de las SS).

Mi economía es más o menos así: una pensión que alquila habitaciones se ha quedado con los cuartos de la casa que no necesito; a cambio, me paga la renta y tengo la ayuda de una chica que me limpia, etc., así que vivo cómodamente, me traen el desayuno a la cama, etc., etc. [...] ¿Y qué más os puedo contar? Supongo que ya habréis recibido mi segundo libro, *Un psicólogo en un campo de concentración*. Este también ha tenido mucho éxito. Os adjunto una reseña aparecida en el *Arbeiterzeitung*. El tercer libro ya está en la imprenta y estoy preparando un cuarto. También se va a imprimir la tercera edición de mi primer libro.

17. La Organización Todt (OT) se creó en mayo de 1938 por orden de Adolf Hitler; se fundó como organización dedicada a la construcción de infraestructuras militares, que llevó a cabo proyectos de construcción en Alemania y en los territorios ocupados por las tropas alemanas, principalmente mediante trabajos forzados.

Walter (muerto en Auschwitz en 1943 [?]),
hermano de Viktor Frankl.

Gabriel (muerto en Terezín en 1943) y Elsa (muerta en Auschwitz en 1944),
padres de Viktor Frankl.

Psicoanálisis y existencialismo está muy buscado, las dos primeras ediciones se agotaron en una semana cada una. Una de las últimas críticas empezaba así: «Tenemos ante nosotros el libro más importante que se ha publicado desde el final de la guerra...». No está mal. Además de la reseña, os adjunto una entrevista aparecida recientemente. Naturalmente, todos los días recibo muchas cartas acerca de mis libros.

Pero eso es algo que hay que asumir; todo tiene sus consecuencias. Ahora quisiera pediros un favor: sed tan amables de hacerme algunas copias de fotos de mis padres y de mi hermano Walter y enviádmelas —¡no tengo ni una sola foto de nuestra querida familia!—. La tía Mizzi tampoco tiene ya ninguna desde que todo fue destruido por las bombas; solo conserva la copa del Séder y el árbol genealógico ([...] ¡ya no me queda nada de mi vida anterior!). No os enfadéis porque os atosigue esta vez con tantos deseos, no es necesario que lo hagáis todo inmediatamente. Hay una cosa que sí me urge: que me mandéis ya fotos vuestras [...]. Si no, llegará un día en que os veré (Dios lo quiera) y no os reconoceré, cuando llegue allí y me pare en el muelle y grite con toda mi garganta y mis pulmones: «¡Stellaaa-Waaalter-Peeeter-Juuudith!»..., y se mueva el gato. Pero lo mejor será que hagamos el viejo silbido de la familia: «Fiuu-fiu-fiuu».

¡Tened paciencia! Voy despacio, pero seguro que iré. La añoranza que siento de vosotros, sobre todo de ti, Stella, lo que queda de nuestra sangre, y de tus dos pequeños, que vienen, por así decirlo, a reforzar nuestro linaje, es garantía de que lo haré. Y ahora, siéntate y escríbeme enseguida, aunque no tengas tiempo; yo tampoco tengo, pero siempre lo encuentro para mi hermana. Como mucho, limpiarás un sombrero menos una semana o tu familia se comerá los *knödel*[18] un cuarto de hora más tarde.

¡Saludos a todos!

Vuestro, Viki

18. Albóndigas que se cocinan en caldo. *(N. de la T.)*

A Wilhelm y Stepha Börner

12 de agosto de 1946

¡Querido Wilhelm, querida Stepha!

Desgraciadamente, no he podido contestar hasta hoy a vuestra carta del 11 de julio porque he estado quince días de vacaciones en el refugio de Otto en el Rax. Gracias a Dios, me he recuperado mucho y he podido comprobar que, a pesar de los tres años en campos de concentración y de la ligera miocardiopatía derivada del tifus, conservo la «forma» como escalador que tenía hace cinco años, cuando hice la misma escalada por la Preinerwand (Malersteig) con mi mujer. Las *edelweiss*[19] que cogí entonces de la pared las he consagrado a su memoria y ahora relucen en un pequeño corazoncillo de cerámica, bajo su foto de jovencita que tengo sobre mi cama.

Recibí el paquete que me enviasteis a través del doctor Goldfeld y, recientemente, uno de la Sociedad Ética. Ya podéis imaginaros que os estoy inmensamente agradecido. Pero insisto una vez más, ¡no quiero que vosotros, que tanto hacéis y habéis hecho por tanta gente, gastéis ni un solo dólar conmigo!

Solo cuando Stella os envíe el dinero, os dejaré enviarme otro paquete. Pero tampoco quiero que Stella me envíe, pues ella acaba de tener a su segunda hija, la pequeña Elisabeth Judith, y seguro que necesita cada centavo. Por cierto, gracias a vuestra amable mediación, he recibido también un paquete de [nombre tachado]; independientemente de que yo se lo agradezca directamente, me gustaría pediros que le deis las gracias de mi parte de todo corazón; supongo que habrá recibido ya mis libros. Una vez contesté a sus cartas a través de Eugen Hofmann; hasta ahora no he sido capaz de escribirle directamente, después de que en su primera carta se dirigiera a mí de

19. *Leontopodium alpinum*, conocida como flor de las nieves. *(N. de la T.).*

esa forma tan frívola o al menos tan poco delicada, teniendo en cuenta mi situación. Ahora quiero olvidarlo. La señora Kupferberg también ha vuelto a escribirme y ya he contestado a su carta. Está haciendo un gran esfuerzo para que *Psicoanálisis y existencialismo* se traduzca al inglés y se publique en los Estados Unidos, pero de momento no lo ha conseguido. Sinceramente, nunca he esperado que en los Estados Unidos existiera una buena disposición ni la necesidad intelectual de un libro así. Soy consciente de que en el mundo anglosajón este tipo de ideas no goza realmente de simpatía, ni en lo general ni en lo particular.

Estoy convencido de que esto no tiene tanto que ver con una actitud mental pragmática como, sobre todo, con el hecho de que allí no tuvo lugar esa sacudida de los fundamentos más profundos de la existencia que el terror nazi provocó en todos los países europeos ocupados. [...] Por no hablar de aquí, donde, por poner un ejemplo, una crítica reciente de *Psicoanálisis y existencialismo* comienza con las siguientes palabras: «Tenemos ante nosotros el libro más importante que se ha publicado desde el final de la guerra...».

Las cartas que recibo a diario de los lectores demuestran, sobre todo, que el libro ha sido capaz de transmitir y aportar algo a las personas sencillas que se encuentran en la mitad de su vida, en especial a la generación más joven. Pero creedme, este éxito no impide que yo sea el primero en reconocer desde el principio mis debilidades; por otra parte, creo que, tarde o temprano, lo verdaderamente valioso del libro acabará imponiéndose de manera más o menos automática, y que ni las fronteras nacionales, ni siquiera el Atlántico, podrán detener el espíritu de la época.

[Nombre tachado] ha venido a verme al Policlínico para hablarme de su angustia. La pobre estuvo varios años encerrada en un manicomio por haber insultado a Hitler. En Salzburgo, este internamiento se considera un encarcelamiento político. Pero aquí le están poniendo dificultades malvadas y estúpidas, incluso en lo relativo a la anulación de su incapacitación. Naturalmente, me he puesto a su disposición.

Ojalá ella también reciba pronto el paquete de la Sociedad Ética. (Así pues, los rumores de antaño que hablaban de un puesto de alimentos en lugar de una oficina para la prevención del suicidio estaban en lo cierto...). Saber que Wilhelm está recuperado me quita de encima una gran preocupación. Me alegro mucho de que me tutee. Ya era hora. La lectura de su libro *Pastoral secular* me ha resultado muy placentera y estimulante. Yo he mantenido de manera consciente el título de mi libro precisamente como provocación a los círculos eclesiásticos. No es que aquí, como vosotros creéis, los médicos no se interesen por este tema; como os he dicho, los círculos intelectuales austriacos están muy interesados en la materia, en particular en la parte filosófica existencial. Wilhelm, recuerdo muy bien las interesantes discusiones sobre Heidegger que tuvimos en Zillertal, creo que en 1936. Pero hoy más que nunca debo rechazar tu interpretación de la filosofía existencial como una «confusión mística».

¿Acaso debemos tachar de mística y, por lo tanto, de oscura, vaga o abstracta una corriente de pensamiento que se ha ocupado como ninguna hasta ahora de lo concreto dentro de la existencia humana? Desgraciadamente, se ha convertido en la filosofía de moda, particularmente en Francia. ¿Pero acaso esto nos exime del deber de comprobar si no es precisamente su actualidad —su enraizamiento en el sentimiento vital de nuestra generación— la razón por la que se convirtió en moda (aunque la moda puede ser en muchísimas ocasiones un síntoma de degeneración)?

Tal vez sea cierto que no tenía razones de peso para introducir en mi libro la filosofía existencial o, mejor dicho, lo que, siguiendo a Jaspers, entiendo por ello, convirtiendo el análisis existencial, por así decirlo, en una extensión de la logoterapia. En el último capítulo, en el que hablo de la importancia de evitar cualquier imposición, doy a entender que, en mi opinión, la ideología personal no debe influir nunca en los tratamientos médicos, sino que es el paciente el que debe decidir bajo su propia responsabilidad su postura ante la vida. Desde mi punto de vista, en el fondo, lo único que hace el análisis existencial es llevar a la persona a ser consciente de su responsabilidad —eso sí, de una manera radical—. Pero hay un posible malentendido que me gustaría aclarar, y es el de que mi método supone una interpretación subjetivista; me di cuenta de este peligro gracias a algunas expresiones que aparecen en tu crítica; cuando dices que *damos* un valor a la vida, en mi opinión se trata de un valor objetivo o, mejor dicho, de un sentido concreto y personal que no hemos de dar arbitrariamente, sino que debemos más bien encontrar.

Ya es suficiente por hoy. Me despido agradeciéndoos nuevamente todo lo mucho que he recibido de vosotros, tanto a nivel material como espiritual.

Vuestro, Viktor

Al párroco de la iglesia católica romana de Kahlenbergerdorf

15 de octubre de 1946

Reverendo:

Cuando dirigía el departamento de neurología del hospital judío de Rothschild, murió en mi unidad una paciente de 16 años que padecía un tumor cerebral incurable y había venido expresamente de Silesia a Viena para recibir tratamiento. La chica era católica y estaba bautizada, pero en aquel momento, bajo el dominio nazi, no se permitió a ningún cura de Viena, excepto al de su parroquia, celebrar el correspondiente funeral. Así que en octubre de 1941 mi paciente fue bendecida en la iglesia de Kahlenbergerdorf y enterrada en el cementerio local. Yo mismo participé en la ceremonia junto con los pocos allegados de la chica, así como con mi esposa (fallecida posteriormente en el campo de concentración de Belsen), que en aquella época era la enfermera encargada de la sección de neurología y había trabado amistad con nuestra joven paciente.

Hace solo unos días visité o, mejor dicho, busqué la tumba de la chica y pude comprobar que ni siquiera había una inscripción con su nombre. Dado que tengo muchos motivos para creer que los familiares de mi paciente, por ser de origen judío, hace tiempo que murieron, y que, por lo tanto, ya no queda nadie que pueda ocuparse de la tumba, me siento obligado a hacerlo yo mismo. Es por eso que me permito rogarle a usted, reverendo, que haga una misa por la chica, para lo cual adjunto a esta carta diez chelines, en espera de que este dinero sea suficiente por el momento. Le agradecería que me diera el nombre que aparece en la lista de difuntos u otro documento de la parroquia, así como el lugar y el número de la tumba. Más adelante me gustaría mandar colocar una cruz sencilla de madera con una placa con su nombre e ir a visitar la tumba tan pronto como se me indique. Con la esperanza de que mis peticiones no le hayan causado muchas molestias,

Su muy atento servidor, Viktor Frankl

A Stella Bondy

Invierno de 1946

¡Querida Stella!

No te enfades conmigo porque no haya contestado a tu carta hasta hoy. Últimamente he estado muy ajetreado y por eso no he podido hacerlo antes. Lo primero es que llegué ayer a Viena después de pasar catorce días en St. Christoph. Fui allí invitado personalmente por el general Bethouart —jefe de las fuerzas de ocupación francesas locales— para dar una conferencia sobre el análisis existencial (mi teoría opuesta al psicoanálisis) y los problemas del hombre moderno, en el marco de un encuentro entre académicos franceses, suizos y austriacos.[20] La conferencia fue un éxito. Hubo un debate de tres horas (el filósofo de la Universidad de París me dijo después: «Esto no ha sido una conferencia, ha sido un mundo») y más tarde incluso tuve que hablar para los micrófonos de Radio Innsbruck. [...] También alquilé unos esquíes y estuve esquiando un poco. En enero todavía tengo que ir a dar una conferencia a Graz y de nuevo a la Universidad de Innsbruck (naturalmente en el compartimento en coche cama que me ofrecen siempre los franceses en el expreso de Arlberg). En noviembre hablé allí, en el hospital psiquiátrico, ante una sala repleta, en la que también había muchos profesores de otras especialidades, y parece que al día siguiente la conferencia era la comidilla de toda la ciudad. Mis libros son muy famosos tanto en Innsbruck como en Salzburgo. Están contentos de que por fin haya salido la tercera edición de *Psicoanálisis y existencialismo*. (Suiza ha encargado su propia edición y en Francia pronto se traducirá el libro). A propósito, espero que hayáis recibido ya mi tercer libro, el más nuevo y, por lo tanto, el más breve. Lógicamente, después de la conferencia en Innsbruck tuve que firmar autógrafos a los estudiantes. Y luego fui a Salzburgo, donde di otra conferencia ante un público entusiasmado. El decano de la Universidad de Teología me ha contratado para las clases de verano y me ha dicho que no le molesta en absoluto que profese la fe judía. La emisora de radio BBC de Londres, como supe hace tiempo a través de una carta de Sofia, transmitió una conferencia sobre mí en la que supuestamente se decía que yo era «el futuro

20. Véase Viktor E. Frankl, *Die Existenzanalyse und die Probleme der Zeit*, Viena, Amandus, 1947, p. 166.

hombre de Austria». Recientemente, un catedrático de psiquiatría de Bucarest me envió a Viena a uno de sus pacientes. En verano participaré también en los cursos de la Universidad de Alpbach, en el Tirol. Los políticos estadounidenses que vienen a Viena acuden a visitarme. Los autores de teatro piden permiso para dar vida a mis ideas en el escenario. Cuando estuve invitado en St. Christoph, los franceses me sentaron junto a los grandes representantes de la psicología austriaca, «representada por nombres como Grillparzer, Schnitzler, Hofmannsthal y Freud». En Radio Viena se ha hablado cuatro veces sobre mis libros y también se han leído fragmentos de ellos, yo mismo pronuncié dos conferencias allí y en dos ocasiones me entrevistaron cadenas americanas. A comienzos de noviembre estuve en Suiza, invitado a dar una conferencia en un congreso de psicólogos. Espero que recibieras la pequeña carta que te envié desde allí. Cuando llegué a Suiza me esperaban dos pacientes, una de Basilea y una francesa, que se habían enterado de que iba a estar allí y querían pedirme consejo.

[...] Muchas gracias por enviarme las fotos. Por desgracia, solo puedo corresponderte con una pequeña foto de pasaporte mía. Aunque no tenga fotos, me acuerdo mucho de vosotros y sueño a menudo contigo, querida Stellita. Disculpa si la carta es muy caótica, pero necesito tratar, uno tras otro, los diferentes puntos de tu carta y las anotaciones que me he hecho para la que yo te envío. [...]

Para terminar, quiero comunicarte que el primer día de Navidad, el octavo día de Janucá, me prometí con la señorita Elly Schwindt. Como sabes, tiene solo 21 años, pero si ella no tiene nada en contra, tú tampoco lo tendrás. Por supuesto, no puedo pensar en casarme hasta que haya llegado la declaración oficial de fallecimiento de la difunta Tilly. De momento, Elly está viviendo parcialmente conmigo. Por fin tengo a alguien que me cuida con todo su amor en todos los aspectos. [...]

Con la comida me las arreglo bien, gracias a los paquetes que me llegan de vez en cuando. En ningún caso debes enviarme nada, pues, teniendo niños que dependen de vosotros, sois los que más lo necesitáis. [...] Basta de chismes por hoy. Escríbeme de nuevo lo antes posible y todo lo más que puedas. Estoy inmensamente agradecido por las cartas de mi admirado cuñado, escritas en su habitual estilo humorístico. Saluda a todos de mi parte de corazón, que mi bendición y la de nuestro piadoso padre lleguen a tus hijos a través de los océanos, y recibe un abrazo y mil besos

de tu hermano que te ama profundamente

A Stella Bondy

1 de mayo de 1947

Querida Stellita:

Te escribo esta carta a día 1 de mayo, el día de tu cumpleaños. Sin embargo, me abstengo de formular ningún deseo; por el amor de Dios, ¡a quién sino a ti iba a desearle yo lo mejor del mundo! Naturalmente, en un día como este añoro especialmente volver a verte (hace unos días volví a soñar contigo); y una cosa tengo clara: por más que nos hayamos distanciado el uno del otro debido al tiempo, el espacio y los diferentes entornos e influencias, cuando nos veamos, Dios lo quiera, nos abrazaremos como si nos hubiéramos visto el día anterior.

[...] Entretanto, te envío una instantánea de mi fiesta de cumpleaños (en mi casa): de pie (siempre de izquierda a derecha), mi asistente, el profesor Pötzl,[21] sentados detrás de él, mi amigo, el

21. Otto Pötzl (1877-1962), neurólogo y psiquiatra, director de la sección neurológica de la Clínica Universitaria de Viena. Pötzl, que ostentaba también la presidencia de honor de las Oficinas de Asesoramiento Juvenil, fundadas por

doctor Melchinger,[22] y mi prometida, Elly Schwindt, de la que te envío otras dos fotos, delante, la tía de Tilly, yo, la profesora Pötzl y el novio de Erna Gsur-Rappaport, el famoso poeta Felmayer.[23] Desgraciadamente, todas las fotos están subexpuestas debido a la luz artificial. Si Dios quiere, nos casaremos en unas pocas semanas, cuando esté listo el certificado de defunción de Tilly. El sábado 26 de abril hizo exactamente un año del comienzo de mi amistad con Elly. Como el día 27 era el segundo aniversario de mi liberación del campo de concentración, o sea de mi «renacimiento», no ayuné tal y como hice el año anterior, sino que el 26, a través de Schnodern, hice que se celebrara un *mischeberach*[24] para los nietos de mi piadoso padre. Estos son Peter y Liesl, y, si Dios quiere, en diciembre, el bebé que espera Elly [...]. Sorprendida, ¿no? ¿Pero cuánto más y a qué debería esperar?

Ahora tengo el doble de edad que ella (que tiene 21). Si es niña, quiere llamarla Gabriele, si es niño, Harry. Espero que no se parezca a mí, sino a ti y a Elly. En el Séder he rezado y he vertido un poco de vino Carmel[25] en la vieja copa que ha aparecido en la casa de Mizzi [Maria Lion]. Estoy en contacto con ella, especialmente desde que hace un curso de masaje en la Policlínica. Es muy, muy valiente (ya lo era cuando vivían nuestros padres y se arriesgaba a enviar paquetes a Terezín). [...]

Frankl en los años veinte, fue uno de los primeros mentores de Frankl. Mantuvo la amistad con Viktor y Eleonore Frankl hasta su muerte en 1962. Tras la anexión, protegió juntamente con Frankl a pacientes psiquiátricos judíos del programa de eutanasia de Hitler, realizando diagnósticos falsos (no psiquiátricos) y derivaciones a la residencia judía de ancianos en el Malzgasse de Viena.

22. Siegfried Melchinger (1906-1988), escritor vienés, crítico teatral, editor y dramaturgo.

23. Rudolf Felmayer (1897-1970), poeta austriaco, editor de la colección de poesía Nueva Poesía Austriaca.

24. Consiste en solicitar la bendición de la salud a cambio de un donativo.

25. Vino dulce que se entrega como donación en el templo durante celebraciones especiales.

Os deseo lo mejor a ti y a los tuyos; muchas gracias a Peter por las hermosas líneas que me escribió. No os olvidéis del nuevo permiso —nunca se sabe...—. Y escribe enseguida a tu único hermano, que te quiere y te abraza

Viki

A Stella Bondy

Mediados de 1947

¡Queridísima Stellita!

No tengo mucho más que decirte. Elly ya te ha contado lo más importante. Solo una cosa: ayer aprobé los tres exámenes de conducir. A pesar de que no sabía cómo se verificaba el nivel de aceite en el motor, me inventé un método *in situ:* desatornillar una pieza y mirar, y, fíjate por dónde, lo hice bien (no nos habían enseñado a hacerlo). Conduciendo tuve que ir marcha atrás por un callejón sin salida tremendamente estrecho (desviarme a la altura del Meinl, frente al palacio arzobispal, y seguir por la izquierda hacia la Rotenturmstrasse); los examinadores me pidieron disculpas por haberme metido allí sin darse cuenta, pues estaban despistados, y les di tanta pena que no les importó que durante las diez vueltas que dimos chocara dos veces contra la acera y se me calara otras dos el motor. La verdad es que todavía soy torpe conduciendo, aunque, según dicen, soy muy prudente y cuidadoso, pero a la vez decidido, eso sí, siempre llevo el pie en el freno, hago doble embrague, reduzco de marcha y sigo ligero; ¡y cuando aumento de marcha, incluso embrago dos veces! [...]

Ahora también hablo regularmente en Radio Viena. Hace poco, ante los cuáqueros estadounidenses y por encargo del Rabinato de Viena, hablé como judío, junto con un católico y un protestante, sobre el lugar de la religión en el mundo actual. Os envío dos fotos, una de Elly con el perro del profesor Nowotny[26] (director del Maria-Theresien-Schlössel, en el que ahora trabaja como asistente el doctor Polak), tomada en Pentecostés en Waldegg, a donde fuimos con el coche de unos amigos; y otra mía, en el Votivpark, fotografiado por Elly. [...] Solo una cosa más: no olvidéis renovar el permiso a tiempo y, por lo que pueda pasar, hacedlo extensible a Eleonore Katharina Frankl, de soltera Schwindt; y en mi profesión poned psiquiatra y *lecturer* o *professor* (es decir, profesor universitario) en la Universidad de Viena, porque creo que esto evitará el temor a que sea un refugiado que intenta aprovecharse. No os molestéis con Elly si a causa de la futura Gabriele o el futuro Michael se ve obligada a pediros cosas (lana de tejer, un cepillo para el suelo, etc.). Muchos besos a todos los Bondy, desde Stella, la más mayor, hasta Liesl, la más joven, y especialmente al jefe de la autoescuela de vuestro

profesor Bockuschateli[27]
propietario del permiso de conducir 3 c
para turismos sin remolque

26. Karl Nowotny (1895-1965), neurólogo y psiquiatra, cofundador de la Asociación Internacional de Psicología Individual y antiguo mentor de Frankl.

27. De niño, el apodo de Viktor Frankl en su familia era Bocki («cabezota»); Bockuschateli es el diminutivo.

A Stella Bondy; de Viktor y Eleonore Frankl

22 de julio de 1947

De Eleonore Frankl a Stella Bondy

¡Querida Stella!

Mi más sincero agradecimiento por tus cartas del 6 y 7 de julio, que recibimos ayer. En realidad, debería haberte escrito antes, pero el 18 de este mes fue nuestra boda y de veras que no he podido. Además, quería contarte todo lo que ha pasado estos días, y eso es lo que pienso hacer hoy. Nuestra boda estaba prevista para el pasado viernes a las 12:15 h en el registro civil de la Währingerstraße. Me levanté a las seis de la mañana con la intención de arreglar y preparar algunas cosas, pero la verdad es que estaba muy nerviosa. Querida Stella, te reirás de mí, pero Viki tuvo que hacer psicoterapia conmigo, si no, no hubiera llegado sana y salva al registro.

Cuando ya estábamos en el coche (no íbamos en un taxi normal, sino que un amigo de Viki, un arquitecto francés, nos llevó en un bonito coche francés), se me pasó un poco el miedo escénico y llegamos puntuales al registro. ¿Sabes?, durante todo el día admiré a Viki porque no estaba nada nervioso y actuó como si casarse fuera algo tan cotidiano como lavarse los dientes. En el registro civil, aparte de nuestros testigos de boda, las señoras Hertha Weiser (la tía de Tilly) y Grete Krotschak (la exmujer del famoso violonchelista Krotschak), solo estaban mis padres y mi abuela. Un fotógrafo de prensa estuvo haciendo fotos constantemente, antes, durante y después de la boda. La ceremonia en sí duró unos diez minutos, lo único es que en el intercambio de anillos casi no consigo ponerle el anillo en el dedo a Viki de lo temblorosa que estaba.

Después nos fuimos los ocho a nuestra casa, comimos tarta y tomamos vino, y a las 14:00 h ya había terminado la pequeña fiesta. Pero entonces es cuando empezó el verdadero trabajo, pues habíamos preparado una gran recepción para las 18:00 h, a la que estaban invitadas veinticuatro personas (varios profesores, un profesor francés y su mujer, un padre dominico[28] muy conocido [con hábito blanco] y una pintora,[29] entre otros). Habíamos preparado helado, pasteles, sándwiches, palitos salados y vino, y acababa de terminar con los preparativos cuando empezaron a llegar los primeros invitados. Todos trajeron flores, así que ya no sabíamos dónde ponerlas. Fue una tarde muy agradable, la gente estaba muy a gusto y al final había incluso unos cuantos borrachos. El último invitado se marchó a las 23:15 h, y después lo pasamos muy bien y nos comimos una tarta entera. Bueno, creo que te lo he contado todo, menos un pequeño incidente que ya te contará Viki. Ahora paso a referirme a tus amables cartas.

Siento mucho la muerte de tu suegra. Sé lo que significa perder a un ser querido. Yo tengo a mi querido hermano en algún lugar de Rusia y no sé si vive o no.

Todavía no hemos recibido tus paquetes, pero estamos deseando que lleguen. [...] Hace unos días empecé a notar los primeros movimientos del bebé, casi como si estuviera boxeando. Sentimos mucho que no puedas irte de vacaciones, pero el próximo año ya podrás viajar con la pequeña Liesl y Peter, porque los dos serán «mayores». Yo también tendré que quedarme en casa el año que viene, pero, si Dios quiere, el bebé me traerá (nos traerá) tanta alegría y tanta luz a nuestra hermosa casa que no echaré de menos las vacaciones. Dices que no tenéis servicio y que no tienes a nadie que te ayude, así que debes tener mucho que hacer, porque dos niños y la casa

28. Diego Hanns Goetz (1911-1980), padre dominico, trabajó desde 1939 en el Instituto Pastoral de la Archidiócesis de Viena y como predicador para estudiantes y artistas.

29. Hilde Polsterer (1903-1969), pintora austriaca, directora de diseño de los almacenes Printemps de París hasta 1937. En los años cincuenta fue miembro de la asociación de artistas de Viena Art Club.

suponen mucho trabajo. Ayer hablé con Viki sobre eso y creo que tampoco contrataré una asistenta, aunque ya haya nacido el bebé. Una vienesa, ni me lo planteo, la mitad están enfermas o se pasan las noches revoloteando con los soldados y no tienen nada más en la cabeza que su cita de esa noche, y las chicas del campo no vienen a la ciudad debido a las malas condiciones de vida.

Además, hay que pagarles entre 70 y 100 chelines mensuales, el seguro de salud son también 35 chelines al mes, y si a eso hay que añadir la comida —porque no se las puede dejar mirando—, tener una chica te sale por 250 o 300 chelines mensuales. Prefiero gastar ese dinero en fruta y verdura para nosotros y luego para el bebé y hacer yo misma el trabajo, excepto los trabajos más duros, que los hace una mujer de la limpieza. Además, a mí me gustan mucho las tareas de casa.

[...] Lo que daría por veros alguna vez en persona, con el cariño que os he cogido ya a través de las cartas. [...] Ahora, queridos, tengo que terminar, si no, no le quedará espacio para escribir a Viki. Un beso muy fuerte de vuestra Elly

De Viktor Frankl a Stella Bondy

¡Queridos!:

Antes que nada, mis condolencias. ¿Lo que tuvo mamá fue una embolia? Al menos no sufrió y tenía a Walter con ella. En cualquier caso, guardo un excelente recuerdo de ella. Stella, ni se te ocurra pensar que tus largas cartas nos aburren. Nos encantan; las breves y sobrias sirven solo como cartas comerciales, solamente en una carta más larga puede mostrarse uno con mayor intimidad, soltarse y dejar que el otro conozca su vida, después de conocer miles de pequeños detalles, como piezas de mosaico. ¿Tienes ya el cuarto y el quinto libro?

¿Qué opináis sobre la boda? La próxima vez, solo con anestesia. La mañana siguiente a la noche de bodas un vecino se encontró a Elly comprando y le preguntó cómo estaba... «Gracias, es solo que aún me duelen los pies de ayer», fue lo que le dijo, ingenua; inocentemente, ella quería decir que le dolían de estar tanto de pie durante la fiesta; pero él puso una sonrisa burlona...

A propósito: hace poco me llamó el productor del famoso documental sobre enfermedades de transmisión sexual y quería ganárseme como asistente científico para una película sobre sexo, cosa que obviamente rechacé (ahora que soy un profesor de universidad serio); cuando le pregunté por qué había pensado precisamente en mí, me contestó que varias personas le habían dicho que yo era la única persona en Viena que trabajaba en el ámbito sexual (es decir, psicológico-sexual). El poeta Hans Weigel,[30] del que soy amigo, ha publicado esta anécdota en un periódico vienés.

[...] A mi teoría la llaman ya la «tercera escuela vienesa» de psicoterapia (después del psicoanálisis y la psicología individual, es decir, Freud-Adler-Frankl). Stella, ten presente que quiero ir a visitaros sin falta lo antes posible. Pero esto solo será posible cuando me haya forjado una reputación aquí y a nivel internacional y me ofrezcan, por ejemplo, un nombramiento en una universidad australiana, o cuando ya no sea necesario o nada me obligue a estar aquí con toda la familia. Por eso, os ruego que prolonguéis el permiso, incluyendo al bebé y a Elly, como ya os dije. Elly podría trabajar en cualquier lado, es asistente dental, sabe preparar el instrumental, etc.; además, es muy eficiente, adaptable y habilidosa. Y yo puedo escribir libros en alemán —próximamente publicaré incluso, con el seudónimo de Gabriel Lion, una pieza de teatro en un acto—[31] y dar

30. Hans Weigel (1908-1991), escritor y crítico teatral vienés. Vivió en Viena; de 1938 a 1945 vivió en Suiza y después regresó a Viena. Fue íntimo amigo de Viktor y Eleonore Frankl.

31. *Sincronización en Birkenwald*, publicada por primera vez en 1947, en la revista *Der Brenner*.

conferencias y clases en inglés. Ya hace tiempo que soy un «egoísta» como tú, Stellita, que quiero vivir contigo; eso no es egoísmo («eso no es generosidad»...), sino el famoso sano sentido judío de la familia. Solo hay una cosa que no me seduce: ganar dinero. Aquí tengo suficiente y no es el dinero lo que me atrae de allí: lo que necesito es un propósito de vida y un trabajo que me llene, aunque tenga que renunciar a la práctica y dedicarme solo a escribir libros. Adjunto dos recortes de periódico que, al menos en teoría, pueden interesaros [...] Me despido con un beso. Vuelve a escribirnos mucho, durante las vacaciones en el Tirol nos remitirán allí las cartas,

Vuestro, Viki

A Stella Bondy

Noviembre de 1947

¡Queridísima Stella!

Acabo de hacer una donación de 350 chelines para que en las cercanías de Jerusalén, en un bosque para los judíos austriacos víctimas del nazismo, se plante un árbol con una inscripción por cada uno de nuestros piadosos seres queridos; Else Frankl (la mujer de Walter) también tendrá su propio árbol junto a Elsa Frankl. [...] Otto [Ungar],[32] como es sabido, murió de tuberculosis después de ser liberado del campo de concentración (al que había sido enviado desde Terezín, acusado de intentar hacer llegar ilegalmente al extranjero sus dibujos

32. Otto Ungar (1901-1994), artista que pintó en Terezín dibujos y retratos muy populares. Fue maestro de Yehuda Bacon, entre otros. Era familiar lejano de Viktor Frankl.

Donación de Viktor Frankl para plantar dos árboles en memoria de sus padres en el bosque de los judíos austriacos víctimas del nazismo, en las cercanías de Jerusalén.

sobre la vida en el gueto; muchas pinturas fueron halladas enterradas en un barracón del campo y posteriormente han sido expuestas, de manera que su mujer y sus hijas, que sobrevivieron, pueden vivir ahora de ello). [Nombre tachado] está en la República Checa, durante la guerra fue en [lugar tachado] una figura destacada de la emigración checa; no tuvo compasión ni siquiera de Fritz [Tauber][33] y, a pesar de que conoce perfectamente lo que nos ocurrió a mi familia y a mí, hasta hoy no ha considerado necesario escribirme. En cambio, Fritz nos envía a menudo paquetes y estaba dispuesto a llevarse a Elly a Brünn para el parto y a obsequiarnos con lo que quisiéramos. Es encantador y le tiene mucho cariño a Elly. Hemos pasado días enteros bromeando y evocando viejos recuerdos.

Una vez lo llevé al Simpl[34] a ver a Hermann Leopoldi.[35] Anteayer di una conferencia en el Urania[36] y no quedaban entradas desde hacía once días; la gente que se había quedado sin entrada estaba armando escándalo y la policía tuvo que dispersarlos.

Hace poco me colé en la conferencia en torno al psicoanálisis de un *galloch*, que empezó a hablar con entusiasmo de Frankl, mientras que la segunda ponente (una médica bautizada) me criticaba por ser poco creyente, etc., y a la vez presumía de haber

33. Friedrich Tauber (1906-1994), primo de Viktor Frankl, originario de Pohrlitz, vivió luego en Brno. Después de que se le notificara su deportación, su mujer lo escondió en un armario durante el transcurso de la guerra. Friedrich (Fritz) Tauber y Viktor Frankl tuvieron durante toda la vida una relación familiar y amistosa.

34. Uno de los más antiguos y famosos cabarés de Viena.

35. Hermann Leopoldi (1888-1959), compositor y artista de cabaré. En 1938, inmediatamente después de la anexión, fue deportado a Dachau y más tarde a Buchenwald; allí compuso la *Canción de Buchenwald*, de cuyo estribillo está tomado el título de la obra *A pesar de todo, decir sí a la vida (El hombre en busca de sentido)*, así como el del presente libro, *Llegará un día en el que serás libre*.

36. Centro educativo y observatorio público de la ciudad de Viena, inaugurado en 1910 por el emperador Francisco José I; recibe su nombre de la musa de la astronomía. *(N. de la T.)*

hablado una vez personalmente conmigo. Luego se levantó un hombre y se unió a la discusión, rebatiendo de manera objetiva y efectiva a la joven mujer y convenciendo a todo el mundo. Una vez que se hubo sentado de nuevo, el hombre murmuró: «Y después de todo, yo debo saberlo bien, porque soy Viktor Frankl». Ese hombre era yo. Todos se levantaron de un salto de sus asientos, curiosos, pues cuando habían empezado a hablar por primera vez de Frankl, una persona había interrumpido la conversación preguntando: «¿No es ese el del campo de concentración?». La médica evitó la discusión porque se había puesto en evidencia, tanto afirmando que me conocía como por la crítica que hice posteriormente, y el predicador se levantó de la cátedra, se acercó a mí alegremente con los brazos abiertos y me saludó efusiva y solemnemente.

Y ahora paso a otro asunto. Me gustaría tener en el extranjero un archivo notarial de los documentos más importantes, es decir, de todos mis libros, el listado de publicaciones, etc. ¿Puedo enviaros algunas de esas listas (tiradas, número de reseñas (¡hasta ahora son 128!), relación de publicaciones, como la que afortunadamente encontrasteis hace tiempo en vuestra casa, y cosas de este tipo? ¿Tenéis todos los libros? ¿Os envío más ejemplares? De *Psicoanálisis y existencialismo*, ¿tenéis la tercera y cuarta edición con el anexo (aproximadamente un pliego impreso de notas) o como separata? De lo contrario, os lo enviaré todo, ¡pero conservadlo todo bien! En unos días saldrá mi sexto libro y ya he comenzado a dictar el séptimo. ¿Qué más os puedo contar? El domingo fue la ceremonia conmemorativa del 10 de noviembre en el templo del Seitenstettengasse.

Elly estuvo allí conmigo (y con el bebé en la tripa). Y también estuvo en el templo para el culto del Yom Kipur. Si no la hubiera sorprendido en el último momento y no lo hubiera impedido, habría ayunado veinticuatro horas —a mis espaldas, ¡en el séptimo mes de embarazo!—. Una temeridad. Para nosotros lo principal no es la confesión, sino la religión. No nos importa el camino que nos lleva al Señor, sino la meta: Dios. Mis libros tienen un espíritu tan católico que todos se sorprenden cuando se enteran de que soy judío. [...] Pero me llevo muy bien con unos cuantos católicos, que me aprecian mucho a pesar de mi origen y de que profeso la religión judía.

¿Cómo están las cosas por allí? ¿Tenéis rabinos modernos o solo hay sacerdotes modernos entre los católicos? Y, por cierto, ¿habéis recibido mi conferencia ante los cuáqueros («El lugar de la religión en el mundo actual»)? Por favor, cuando contestéis a mis cartas, repasadlas todas bien para no dejar ninguna pregunta sin responder. Saludos, besos y abrazos para todos de vuestro Bockuschateli (¡que ya se siente padre!). Decidle al pequeño Peter que dentro de poco, si Dios quiere, va a tener un primo o una prima.

Textos y artículos

1946-1948

¿Qué opina el psicoterapeuta sobre su tiempo? 1946

Hoy en día, quizá más que nunca, todo el mundo tiene que llevar su cruz. Pero todo depende de *cómo* lleve uno la cruz con la que ha tenido que cargar. Es necesario hacer sacrificios, pero podemos cuidar de que los sacrificios que tenemos que hacer tengan un sentido.

Un sacrificio pierde el sentido si no parte de una idea justa y de buenos sentimientos. La actitud lo es todo. Y el hombre de la calle, ¿qué opina de los acontecimientos actuales? ¿Cómo entiende el presente? ¿Realmente lo entiende?

Si escuchamos sus conversaciones, siempre oímos las mismas expresiones; «no sabíamos nada» y «nosotros *también* hemos sufrido». Con la primera afirmación intenta quitarse de encima la culpa del crimen y con la segunda se coloca a sí mismo como *víctima* del crimen. Antes de preguntarnos si tiene razón y hasta qué punto la tiene debemos preguntarnos: ¿qué significa la culpa? ¿Tengo la culpa de que los dirigentes políticos de la nación a la que pertenezco actuaran de manera criminal? ¿Soy responsable de lo que hace otro ciudadano de mi mismo país? ¿No es típico del discurso nazi hacer como si uno fuera responsable de todos y todos de uno?

Realmente, solo puedo culpar a una persona de sus actos. Nadie puede, por ejemplo, elegir a sus padres; por ese motivo no puedo querer castigar a alguien por pertenecer a un pueblo determinado. Pues esto no es ni un mérito del que estar orgulloso, ni una culpa que uno deba expiar. Una de las premisas fundamentales del pensamiento occidental y uno de los principios de la moral cristiana consiste —o más bien consistía hasta hace poco— en juzgar moralmente a las personas por lo que *hacen* con sus dones y nunca por los dones en sí, es decir, por lo que trae consigo, por lo que ha heredado. Su color de piel, su estatura, el lugar donde nació, su edad, su lengua materna: ¿quién va a decir que estas cosas son un mérito o una culpa? En cambio, su actitud, su forma de comportarse en situaciones concretas de la vida, sus acciones (siempre que haya actuado libremente), los actos realizados conscientemente y bajo su responsabilidad, todo esto sí que se le puede atribuir. La persona como tal, como ser responsable, empieza allí donde deja de estar determinada por el mero hecho de pertenecer a un pueblo concreto.

Todos sabemos que en todos los pueblos hay personas decentes e indecentes. Solo podemos valorar a las personas según su carácter. Entonces, ¿por qué hacer como si pertenecer a este o aquel pueblo, a esta o aquella raza, fuera lo que le diera o le quitara el valor a una persona? Si me dicen qué tipo de motor tiene un coche, puedo saber a qué atenerme; o si sé que alguien tiene una máquina de escribir de una marca determinada, sé qué es lo que puede esperar de ella. También podemos saber cómo será un perro según cuál sea su raza: puedo contar con que un perro lobo se comportará de este o aquel modo y de manera diferente a como lo haría un perro salchicha o un caniche. ¡Pero con las personas es totalmente diferente!

No es posible calcular cuál será el comportamiento ni las ideas de una persona, ni mucho menos deducir de su procedencia étnica cómo es, sus características morales, si es una persona decente o no. Aunque los etnólogos y antropólogos investiguen acerca de las razas, un concepto de por sí problemático, las demás personas solo conocemos y distinguimos dos razas: la de las personas decentes y la de las indecentes. Todo lo demás, toda esa perorata sobre razas mejores y pueblos superiores, por un lado, y pueblos o razas supuestamente inferiores no es más que una generalización injustificada, con la que se ha intentado evitar tener que evaluar al individuo como tal, con toda la incomodidad y responsabilidad que esto supone. Obviamente, es mucho más sencillo distinguir entre ángeles y demonios que realizar el esfuerzo de valorar debidamente a cada individuo. Y aún más, cuando digo que pertenezco a un pueblo supuestamente superior, puedo sentirme valioso sin la necesidad de hacer nada para serlo, no necesito demostrar mi valor mediante mis propios méritos personales. Me refugio en lo colectivo y así estoy libre de la responsabilidad de tener que hacer algo de mí mismo. Y si, además, escucho una y otra vez que ese colectivo al que pertenezco, pongamos una nación, es el más grande y el mejor de la Tierra, mi amor propio se beneficia de ese delirio masivo de grandeza —por supuesto, solo mientras el delirio de una nación no genere en mí la paranoia de que todas las demás naciones envidian y persiguen a la mía y que esta, por lo tanto, no tiene más remedio que declararles la guerra...—.

Pero apartémonos ahora de este historial mental de todo un pueblo y preguntémonos de nuevo: ¿con qué derecho moral se puede declarar culpable a un austriaco que no sea nazi? ¿Podemos echar en el mismo saco a las personas decentes y a las indecentes? ¿Qué puede hacer una persona honrada contra las atrocidades de las SS? De hecho, muchas veces esa persona no sabía nada de lo que estaba ocurriendo y, si lo sabía, no podía rebelarse contra ello. Se hallaba sometida al terror reinante, sufrió personalmente bajo el régimen. Todo esto está muy bien, pero no es lo mismo que alguien sea culpable que responsable. Naturalmente, la persona decente, la no nazi, *no* es culpable, pero ¿quiere esto decir que no es *responsable*? ¿Tengo yo la culpa si un día sufro un ataque de apendicitis y deben operarme? Es evidente que no, sin embargo, le debo sus honorarios al médico que me ha operado; soy responsable de las consecuencias de mi enfermedad en la medida en que debo pagar la factura. El austriaco decente no es personalmente culpable de la guerra. Él mismo padeció la dominación nazi, es cierto; pero no pudo liberarse solo de esta dominación —esto es algo que él mismo subraya una y otra vez—, sino que tuvo que dejar que sucediera, esperar a que otras naciones democráticas y amantes de la libertad lo liberaran de ese yugo, a que esas otras naciones sacrificaran a cientos de miles de sus mejores hombres en los campos de batalla para devolverle la libertad a él, el austriaco decente pero impotente. Hay que tener esto en cuenta; de este modo, el austriaco decente entenderá que ahora se le pida hacer sacrificios aunque personalmente no sea culpable.

Solo cuando entienda todo esto, cuando sepa que no se le está exigiendo nada injustamente, tendrán sentido sus sacrificios, tanto los presentes como los pasados. Solo si no vuelve a encerrarse en el odio ciego, los muchos sacrificios pasados y presentes darán su fruto en el futuro. El austriaco decente debe comprender el motivo, el derecho moral con el que ahora se le exige que se sacrifique. La paz verdadera solo puede surgir de la comprensión mutua. ¿Es injusto pedirle a la nación vencida que dé el primer paso hacia ese entendimiento? La comprensión y la confianza siempre han despertado comprensión y confianza en el lado opuesto. Y la desconfianza y la incomprensión también han cosechado siempre lo mismo. Obviamente, no podemos esperar que de la noche a la mañana se nos devuelva lo mismo que hayamos dado. Solo una actitud firme, mantenida a lo largo del tiempo, tiene un efecto en la otra parte, consigue captar y ganar su comprensión y confianza. Y lo que importa no son las palabras, sino los hechos: no los actos demostrativos, sino aquellos que realizamos en el día a día; todos somos responsables, todos estamos llamados a ello. Goethe dijo: «¿Cómo llega el hombre a conocerse? Nunca a través de la contemplación, sino solo a través de la acción. Cumple con tu deber y sabrás lo que hay dentro de ti. ¿Y cuál es tu deber? Lo que te exige el día a día».

Podríamos decir: no lograremos que confíen en nosotros haciendo promesas, sino actuando; actuemos como hombres decentes, cada uno dentro de su círculo, y los demás sabrán enseguida «lo que hay dentro de nosotros». El gran remedio para el malestar emocional de este tiempo es la confianza, pero no solo la confianza en los demás, que hace que confíen en nosotros, sino también la confianza en nosotros mismos: la confianza del pueblo austriaco en los valores de su espíritu eterno, de sus más grandes espíritus inmortales. Estos espíritus han influido también en tiempos de impotencia política y han conseguido que se respetara su nación como entidad cultural, y estos espíritus pueden volver a existir y volverán a existir. Sin embargo, esperar a que aparezcan significaría otra vez querer escapar de la responsabilidad y el deber propios. La superación de las dificultades de nuestro tiempo depende de cada individuo y de cada día. ¡Y lo que para ello necesitamos no son tanto nuevos programas, sino una nueva humanidad! El nuevo espíritu de esta humanidad hará que el austriaco decente no siga insistiendo siempre en que él no sabía nada y que comprenda finalmente que también tiene que ayudar a reparar aquello de lo que él no es culpable; y ya no seguirá repitiendo una y otra vez que él también sufrió, sino que podrá decirse a sí mismo: *no* hemos sufrido en vano, ¡hemos aprendido!

Conferencia mecanografiada

Sobre el sentido y el valor de la vida
Marzo de 1946

... A pesar de todo, queremos decir sí a la vida.
Verso de la *Canción de Buchenwald*

Hablar del sentido y el valor de la vida puede parecer hoy más necesario que nunca; la pregunta es si es «posible» hacerlo y cómo. En cierto modo, hoy resulta sencillo. Ahora se puede hablar libremente de nuevo sobre muchas cosas relacionadas directamente con el problema del sentido y el valor de la existencia humana y con la dignidad del ser humano. Sin embargo, por otra parte, se ha vuelto más difícil hablar de «sentido», «valor» y «dignidad». Deberíamos preguntarnos incluso si hoy en día es posible utilizar sin más consideraciones esas palabras. ¿No han adquirido estas un significado en cierto modo confuso? ¿No se ha hecho durante los últimos tiempos demasiada propaganda negativa contra todo lo que estas palabras significan o significaron alguna vez?

Podemos afirmar que a lo largo de los últimos años ha habido una propaganda en contra del posible sentido y del dudoso valor de la existencia humana. Durante este tiempo se ha intentado demostrar precisamente que la vida humana no tiene ningún valor.

El pensamiento europeo a partir de Kant proclama la dignidad del ser humano. El propio Kant dijo en la segunda formulación de su imperativo categórico que si bien todas las cosas tienen su valor, el ser humano tiene su dignidad — y no debería considerarse nunca un medio para llegar a un fin—. Sin embargo, dentro del orden económico de las últimas décadas, los trabajadores fueron convertidos mayoritariamente en instrumentos, degradados a simples instrumentos de la actividad económica. El trabajo dejó de ser un medio de vida, y el ser humano y su vida, su energía vital, su fuerza de trabajo, se convirtieron en el medio para lograr el fin.

Y entonces llegó la guerra, y a partir de ese momento las personas y sus vidas fueron puestas al servicio incluso de la muerte. Y llegaron los campos de concentración. Y en ellos se explotaba hasta el último segundo esa vida que se consideraba merecedora de la muerte. ¡Qué desvalorización de la vida, qué degradación y qué humillación del ser humano hay en ello! Para hacernos una idea de la magnitud, imaginemos un Estado que empieza a explotar a todos sus condenados a muerte, que se sirve de su fuerza de trabajo hasta el último instante de sus vidas, que se prolongan miserablemente, partiendo de la idea de que esto es más razonable que matar sin más ni más o alimentar durante toda la vida a esas personas. ¿O acaso no nos echaban en cara muchas veces en el campo que «no nos merecíamos la sopa que nos comíamos» —esa sopa que nos daban una vez al día como única comida y que tuvimos que pagar con trabajos forzados—? Nosotros, los indignos, debíamos aceptar educadamente esta dádiva inmerecida: los prisioneros teníamos que quitarnos la gorra al recibirla. Y del mismo modo que nuestra vida no valía ni siquiera una sopa, nuestra muerte tampoco tenía mucho valor y no merecíamos ni siquiera una bala de plomo, sino solo Zyklon B.

Finalmente llegaron los asesinatos masivos en los manicomios. Aquí se hizo público y notorio que toda vida que ya no fuera «productiva» —aunque fuera de la manera más miserable— era considerada literalmente «indigna de ser vivida».

Pero antes decíamos que este tiempo también había difundido el sinsentido. ¿Qué ocurre entonces?

Actualmente, nuestra forma de vida no deja mucho lugar para creer en el sentido. Vivimos un típico periodo de posguerra. Utilizando una expresión un tanto periodística, podríamos describir de manera muy acertada el estado anímico del hombre actual como «mentalmente bombardeado». Esto no sería tan grave si al mismo tiempo no reinara por doquier la sensación de que nos encontramos de nuevo en una situación de preguerra. La invención de la bomba atómica alimenta el temor a una catástrofe mundial y una especie de atmósfera apocalíptica se apodera del final del segundo milenio. Conocemos estas visiones apocalípticas de otros momentos en la historia. Las hubo al comienzo y al final del primer milenio y a finales del siglo pasado, en el que, como es sabido, había un ambiente *fin de siècle*. Pero esta no fue la única época derrotista, y el fatalismo está siempre en la base de este tipo de estados de ánimo.

Sin embargo, con un fatalismo semejante no podemos avanzar hacia una recuperación mental. Primero tenemos que vencerlo, pero al mismo tiempo debemos tener en cuenta que el optimismo barato ya no nos permite ignorar cómo nos han transformado los últimos años. Nos hemos vuelto pesimistas. Ya no creemos en el progreso absoluto, en un desarrollo superior de la humanidad, como algo que tiene lugar por sí solo. La fe ciega en el progreso automático se ha convertido en un asunto de pequeñoburgueses satisfechos —hoy en día esa fe resultaría reaccionaria—. Hoy sabemos de lo que es capaz el ser humano. Y si existe una diferencia esencial entre la mentalidad de épocas pasadas y la del presente, bien podríamos describirla así: en el pasado el activismo iba unido al optimismo, mientras que hoy en día el pesimismo es condición previa del activismo. Porque hoy toda acción parte de la conciencia de que no hay ningún progreso en el que se pueda confiar realmente; si hoy no podemos quedarnos de brazos cruzados, es precisamente porque aquello que consiga «progresar» y en qué medida lo haga depende de cada uno de nosotros. Somos conscientes de que, en realidad, solo existe el progreso interno de cada individuo, y que el progreso general consiste, a lo sumo, en un progreso técnico, al que respetamos como el progreso por antonomasia solo porque vivimos en una época tecnológica. Solo sabemos actuar a partir de nuestro pesimismo, únicamente somos capaces de abordar las cosas desde una actitud escéptica. El viejo optimismo tan solo nos adormecería y nos llevaría al fatalismo, aunque fuera de color de rosa. *¡Pero un sobrio activismo es preferible a ese fatalismo rosa!*

¡Qué inquebrantable debería ser la fe en el sentido de la vida para no verse sacudida por semejante escepticismo! ¡Cuán incondicionalmente tendremos que creer en el sentido y el valor de la existencia humana si nuestra fe debe asumir y cargar con ese escepticismo y ese pesimismo! Y todo en un momento en el que, después de que se haya abusado de cualquier entusiasmo, todo idealismo sufre un enorme desencanto, y en el que, sin embargo, solo nos queda apelar al idealismo o al entusiasmo. La generación actual, la juventud de nuestros días, que es en la que deberíamos encontrar más idealismo y entusiasmo, se ha quedado sin modelos. Los que podría haber tenido, estaban encarcelados en ese momento, y los que realmente tuvo, se encuentran encarcelados ahora. Y no podemos ocultar el disgusto ante cierta injusticia que radica en el hecho de que precisamente entre aquellos más estigmatizados como criminales se encuentran sin duda muchos idealistas mal encaminados, mientras que, por el contrario, los más cautelosos, los que no se unieron a los otros hasta más tarde, eran unos oportunistas; por no hablar de aquellos que querían reasegurarse o que incluso tenían tan pocos principios como para golpear a aquellos a los que se sentían interiormente unidos, y que son justamente los que permanecen indemnes.

Una única generación tuvo que ser testigo de demasiados cambios radicales, tuvo que vivir demasiadas derrotas externas que dieron lugar a otras internas —demasiado para una generación, demasiado como para que podamos esperar de ella idealismo y entusiasmo—.

Todos los programas, todas las consignas, todos los principios quedaron absolutamente desacreditados a raíz de estos últimos años. Nada pudo *sostenerse*, así que no debe extrañarnos que haya una filosofía contemporánea que considere que en el mundo no existe nada. Pero tenemos que superar este nihilismo, el pesimismo y el escepticismo, *la sobriedad de una «objetividad» que ya no es «nueva», sino obsoleta, y decidirnos ya por una nueva humanidad.* Pues, en efecto, los últimos años nos han desilusionado, pero también nos han demostrado que lo humano tiene valor, que todo depende del ser humano. ¡Lo que quedó, después de todo, fue «solo» el ser humano! Él es lo que quedó en medio de toda la inmundicia del pasado más reciente. Y es lo que quedó de la experiencia de los campos de concentración. (En algún lugar de Baviera había un campo, cuyo jefe, que era miembro de las SS, gastaba en secreto dinero de su bolsillo para comprar en la farmacia de un pueblo cercano medicamentos para «sus» presos, mientras que, en el mismo campo, el prisionero decano maltrataba a los reclusos de la manera más terrible. ¡Por lo tanto, todo dependía de la persona!).

Lo que quedó fue el hombre, el hombre «desnudo». Lo había perdido todo durante esos años: el dinero, el poder, la fama. Ya nada era seguro para él: ni la vida, ni la salud, ni la felicidad. Todo se había vuelto dudoso: la vanidad, la ambición, las relaciones. Todo quedó reducido a la existencia desnuda. Atravesado por el dolor, todo lo insignificante desapareció; el hombre se desvaneció, convirtiéndose en lo que finalmente fue: o uno más entre la masa, es decir, nadie verdadero —o sea, nadie, en realidad—, algo (!) anónimo, un sin nombre, un número de prisionero, o alguien convertido en sí mismo.

Y, aun así, ¿todavía era posible tomar algún tipo de decisión? Lo era, y esto no debe extrañarnos, pues la «existencia» —a cuya desnudez se redujo al hombre— consiste precisamente en eso, en decidir.

Había algo que podía ayudar a una persona ante esta decisión, algo determinante: la vida, la existencia de los otros, ser un modelo para los demás. Esto era más fructífero que cualquier discurso o escrito, porque la vida siempre es más determinante que la palabra. Y siempre debimos y debemos preguntarnos qué es más importante, si escribir libros y dar conferencias o hacer realidad esos contenidos en cada existencia. Aquello que llega a materializarse es también mucho más efectivo. Las palabras solas no son suficientes. Una vez me llamaron para acudir a casa de una mujer que se había suicidado. Colgado en la pared, sobre el sofá, podía leerse, pulcramente enmarcada, la siguiente sentencia: «Más poderoso que el destino es el coraje que lo sostiene sin quebrantarse». Y bajo esta sentencia se había quitado la vida esa persona.

Ciertamente, las personas ejemplares cuya existencia puede y debe tener una repercusión en el mundo son una minoría. Nuestro pesimismo lo sabe; pero esto es precisamente lo que distingue el activismo contemporáneo, lo que constituye la tremenda responsabilidad de esos pocos. Un antiguo mito dice que la existencia del mundo se basa en que en todo momento hay en él treinta y seis personas realmente justas. ¡Solo treinta y seis! Una diminuta minoría, que, sin embargo, garantiza la estabilidad moral de todo un mundo. Pero el mito continúa: tan pronto como una de estas «personas justas» es reconocida como tal, descubierta, por decirlo así, por sus allegados, sus congéneres, entonces desaparece, queda «apartada» y tiene que morir al instante. ¿Qué quiere decir esto? Creo que podría explicarse de este modo: si la persona se da cuenta de la intención pedagógica del modelo, entonces «se molesta»; a las personas no nos gusta que nos den lecciones.

¿Qué significa todo esto? ¿Qué nos revela todo lo dicho hasta ahora? Dos cosas: en primer lugar, que *todo depende del individuo*, independientemente del, en todo caso, pequeño número de personas animadas por los mismos sentimientos, y, en segundo lugar, que todo depende de que este haga realidad en la práctica —y no solo con palabras— el sentido de la vida en su propia existencia. Por lo tanto, se trata de contrarrestar la propaganda negativa, la propaganda del sinsentido de los últimos tiempos, con otra propaganda que, para poder ser positiva, tiene que ser, en primer lugar, individual, y, en segundo lugar, activa.

En un momento muy concreto, en una situación de extrema necesidad, hubo una vez ciertas personas que se vieron obligadas a vivir hacinadas. De vez en cuando llegaban a aquel lugar envíos de comida y, cuando llegaban algunos vagones de patatas, lo normal era que cada uno intentara robar unas pocas. Entre aquellas personas se encontraban un joven y su mujer. Una vez llegó uno de esos trenes cargados de patatas y el joven se mostró dispuesto a ir a robar algunas. Pero su mujer se burló de él, diciéndole que, con lo inútil que era, no sería capaz de hacerlo. Cuando él le trajo dos buenos puñados de patatas, ella se quedó sumamente sorprendida. «Seguro que no las has robado —dijo, desconfiada—, seguro que las has cambiado por otra cosa». Y el hombre reconoció avergonzado que tenía razón. En efecto, él mismo se avergonzaba de su «incapacidad», se avergonzaba del hecho de no ser capaz de robar. Así de poderoso era el modelo que imperaba en aquel lugar.

Y ahora, la contraparte: en un pequeño barracón de un campo de concentración había doce prisioneros, todos compatriotas. La camaradería era allí lo más importante, y el robo entre compañeros, en consecuencia, lo más detestable. Pero un día, un preso no tenía su ración de pan, no la encontraba en su bolsa, a pesar de estar seguro de haberla metido allí. Otro de los presos, casualmente psiquiatra de profesión, le dijo en voz alta: «Te diré algo: es mucho más probable que estés alucinando y hayas olvidado que tú mismo te comiste el pan que se haya dado un robo entre nosotros doce», y entonces aquel se puso tremendamente furioso y le respondió con una bofetada. Pero luego se reconciliaron y, finalmente, venció el espíritu de compañerismo, que resultó ser más fuerte que la simple posibilidad de que se hubiera podido producir un robo entre camaradas. Así de poderoso era también allí el modelo que había que seguir.

Suficiente por lo que respecta a la pregunta inicial sobre en qué sentido y desde qué punto de vista sería posible defender hoy en día el sentido y el valor de la vida. Pero si hablamos del sentido de la existencia, es porque antes se ha visto de alguna manera cuestionado. Si se pregunta explícitamente por él, es porque antes se ha dudado en cierto modo de él. Pero la duda sobre el significado de la existencia humana conduce fácilmente al desánimo. Y este desánimo puede conducirnos a tomar la decisión de suicidarnos.

Si hablamos del suicidio, debemos distinguir cuatro causas fundamentales, esencialmente diferentes, que pueden dar origen a la disposición interna a suicidarse. En primer lugar, el suicidio puede ser consecuencia de un estado físico, corporal, no psíquico. Este es el caso, por ejemplo, de aquellas personas que intentan suicidarse casi compulsivamente debido a un malestar de origen físico. Naturalmente, estos casos no serán tenidos en cuenta en la conferencia de hoy. En segundo lugar, hay personas que toman la decisión de suicidarse tomando en consideración los efectos que esto tendrá en su entorno —personas, por ejemplo, que quieren vengarse de otras por algo que estas les han hecho y que, para ello, intentan conseguir que estas arrastren durante toda su vida sentimientos de culpabilidad, que se sientan culpables por su muerte—. Estos casos también quedarán excluidos de nuestras reflexiones de hoy acerca del sentido de la vida. En tercer lugar, hay personas que deciden suicidarse simplemente porque están cansadas, cansadas de vivir. Pero este cansancio es una sensación —y, como todos sabemos, las sensaciones no son un argumento válido—. Que alguien esté cansado, que sienta cansancio, no es una razón en sí misma y por sí sola para detener su camino. Todo depende de si seguir tiene sentido, de si vale la pena vencer el cansancio. Lo que realmente se necesita aquí es una respuesta a la pregunta sobre el sentido de la vida, el sentido de seguir viviendo a pesar de ese cansancio vital. Por lo tanto, ese cansancio no es en sí mismo un argumento en contra de seguir viviendo; pero seguir viviendo solo es posible si se comprende el sentido incondicional de la vida.

Este cuarto grupo lo conforman, en realidad, aquellas personas que quieren suicidarse precisamente porque no pueden creer en el sentido de seguir viviendo, de la vida en sí misma. Un suicidio por este motivo se denomina comúnmente «suicidio por balance», porque tiene lugar después de que la persona realiza un balance negativo de su vida. Esa persona pone en una balanza el haber y el debe, compara lo que la vida le debe con lo que todavía cree que puede lograr en ella, y lo que obtiene es un balance negativo que la empuja a suicidarse. Nos gustaría examinar ahora ese balance.

Por lo general, en la parte del haber está todo el sufrimiento y todo el dolor y en la parte del deber, toda la felicidad que no llegó a lograrse. Pero el planteamiento de este balance es desde un principio erróneo, pues, como suele decirse, «no hemos venido a este mundo a divertirnos». Y esto es cierto tanto por lo que se refiere al ser como al deber. Quien no haya tenido esta experiencia debería echar un vistazo al libro de un psicólogo experimental ruso que demostró que, en la vida cotidiana, las personas corrientes tienen más sentimientos de disgusto que de placer. En consecuencia, ya de entrada, no es posible vivir en aras del placer. Pero si esto fuera necesario, ¿estaríamos dispuestos a hacerlo? Imaginemos a un hombre condenado a muerte, al que pocas horas antes de ser ejecutado le permiten elegir el menú de su última comida. El vigilante entra en la celda, le pregunta qué desea y le ofrece todo tipo de delicias; sin embargo, nuestro hombre, en su pobre celda de condenado, rechaza todas las ofertas, porque no le da ninguna importancia a meter una buena comida en el estómago de un organismo que en pocas horas será un cadáver. Y tampoco los sentimientos de placer que aún podrían tener lugar en las células ganglionares cerebrales de este organismo tendrían sentido, teniendo en cuenta que en dos horas estas células serán destruidas para siempre.

Sin embargo, la vida perdura también ante el umbral de la muerte, y si este hombre en su pobre celda tuviera razón, entonces, si nuestra única aspiración es el placer y nada más —todo el placer posible y lo más intenso posible—, toda nuestra vida carecería de sentido. Como vemos, *el placer en sí mismo no puede dar sentido a la existencia y, por lo tanto, la ausencia de placer tampoco puede quitárselo.*

Un hombre al que habían salvado la vida después de que intentara suicidarse me contó un día que quería salir de la ciudad para pegarse un tiro en la cabeza; como ya era tarde y no había tranvías, se vio obligado a coger un taxi y entonces empezó a preocuparse porque no quería gastarse el dinero en taxis y, finalmente, le entró la risa al darse cuenta de los pensamientos que estaba teniendo justo antes de morir. Del mismo modo que para el hombre condenado en la celda hubiera sido ridículamente absurdo ser avaricioso con el placer, a este hombre decidido a suicidarse debió de parecerle igualmente absurdo ser tacaño con el dinero justo antes de morir. Este desencanto de la persona frente a sus aspiraciones de felicidad en la vida lo expresó de forma muy hermosa Tagore en el siguiente poema:

> Yo dormía y soñaba
> que la vida era alegría.
> Desperté y vi
> que la vida era deber.
> Serví y vi
> que el deber era alegría.

Y con esto ya hemos señalado la dirección en la que deben ir a partir de ahora nuestras reflexiones.

De algún modo, por lo tanto, *la vida* es deber, *un único y gran deber.* Por supuesto, también hay felicidad en la vida, pero no es algo que pueda ser perseguido, «querido» como tal. La *felicidad* debe surgir por sí misma, y así lo hace, como el resultado de algo: la felicidad no debe ni puede ser *nunca* una meta, sino *solo un resultado,* precisamente el resultado de cumplir eso que Tagore llama «deber» en su poema y que nosotros intentaremos exponer después más detalladamente. En cualquier caso, en la medida en que no es posible atrapar la felicidad, sino que solo puede venirnos dada, todo esfuerzo del ser humano por conseguirla está abocado al fracaso. Kierkegaard lo expresó con una sabia alegoría: la puerta a la felicidad se abre «hacia dentro», es decir, que se cierra precisamente para aquel que la busca vehementemente, aquel que intenta empujar la puerta para encontrarla.

Una vez estaba sentado casualmente frente a dos personas cansadas de vivir, un hombre y una mujer. Los dos habían expresado unánimemente que su vida no tenía sentido, pues «no esperaban ya nada de ella». En cierto modo, ambos tenían motivos para pensar así. Sin embargo, pronto se demostró que, al contrario de lo que pensaban, a ambos les esperaba algo: al hombre, una obra científica inacabada, y a la mujer, un niño que por entonces vivía muy lejos de ella, en el extranjero, y que adoraba a su madre. Ahora faltaba efectuar lo que podríamos denominar con Kant un giro «copernicano», un giro mental de 180 grados, tras el cual la pregunta ya no podría ser «¿Qué puedo esperar todavía de la vida?», sino más bien: «¿Qué espera la vida de mí?». ¿Qué deber, qué tarea me espera en la vida?

Ahora entendemos también que, a fin de cuentas, la pregunta por el sentido de la vida está generalmente mal planteada; no somos nosotros los que podemos preguntar por el sentido de la vida, sino que es la *vida* la que plantea preguntas, la que nos dirige preguntas. *¡Nosotros somos los cuestionados!*, somos los que tenemos que responder, los que debemos dar respuesta a las preguntas constantes, diferentes cada hora, de la vida, a las «cuestiones vitales». La propia vida no consiste en otra cosa que en ser preguntado; toda nuestra existencia no es más que dar respuesta, hacernos responsables de nuestra vida. Desde esta perspectiva ya nada puede asustarnos, ni el futuro ni la aparente falta de porvenir, pues ahora *el presente lo es todo*, ya que este *alberga la pregunta eternamente nueva de la vida hacia nosotros*. Ahora todo depende de lo que se espera de cada uno de nosotros. En cambio, no podemos ni necesitamos saber lo que nos espera en el futuro. A propósito de esto, suelo contar una historia aparecida hace muchos años en un breve artículo de un periódico. Una vez, un hombre negro condenado a cadena perpetua fue deportado a la Isla del Diablo. Cuando el barco (que justamente tenía el nombre de *Leviatán*) se encontraba en altamar, se declaró un incendio. Ante esa situación de urgencia, el hombre fue liberado de sus grilletes y participó en las tareas de salvamento, consiguiendo salvar la vida a diez personas, motivo por el cual fue indultado. Y la cuestión es: si antes de embarcar en el muelle de Marsella se le hubiese preguntado a ese hombre si seguir viviendo tenía algún sentido para él, él lo habría negado sacudiendo la cabeza. ¿Qué podría esperarle aún a él? *Pero ninguno de nosotros sabe qué le espera, qué gran momento, qué ocasión única para actuar de manera extraordinaria,* justo como hizo aquel hombre negro del *Leviatán* al salvar la vida a diez personas.

Pero la pregunta que la vida nos plantea y en cuya respuesta podemos encontrar el sentido de ese instante, no solo cambia de una hora a otra, sino también de una persona a otra. La pregunta es en cada momento y para cada persona completamente diferente. Así que, como vemos, la pregunta acerca del sentido de la vida es sumamente ingenua, a menos que se haga de manera muy concreta, referida al aquí y ahora. En este sentido, preguntar por «el» sentido de «la» vida parece tan ingenuo como que un reportero que está entrevistando a un campeón mundial de ajedrez le preguntara a este: «Dígame, maestro: ¿cuál es la mejor jugada de ajedrez?». ¿Acaso hay una jugada específica que podría ser tenida por buena o por la mejor si se contempla fuera de una situación de juego concreta, sin tener en cuenta la posición concreta de las piezas?

No menos ingenuo, aunque conmovedor, fue aquel joven que, hace ya muchos años, vino a hablar conmigo antes de que yo empezara a dar, no recuerdo dónde, una pequeña charla acerca del sentido de la vida. Esto fue más o menos lo que dijo: «No te molestes, Frankl, pero resulta que hoy estoy invitado a casa de mis futuros suegros, tengo que ir necesariamente y no me puedo quedar a la conferencia; vamos, sé tan amable y dime rápidamente: ¿cuál es el sentido de la vida?».

Así pues, lo que nos espera a cada uno de nosotros, esa determinada «exigencia de la hora», puede exigir una respuesta en diferentes sentidos. En primer lugar, nuestra respuesta puede ser una respuesta activa, podemos dar una respuesta haciendo algo, responder a cuestiones concretas de la vida realizando un acto o creando una obra. Pero aquí también entran muchas cosas en consideración. Puede que la mejor manera de explicar lo que quiero decir sea recurrir también aquí a una vivencia: un día tenía sentado enfrente a un joven con el que había estado discutiendo sobre el sentido y el sinsentido de la vida. Él me hizo la siguiente objeción: «Usted habla con facilidad, ha puesto en marcha un centro de asesoramiento, ayuda a personas, las anima; pero yo, ¿quién soy yo?, ¿qué soy yo? Un simple ayudante de sastre. ¿Qué puedo hacer? ¿Cómo puedo darle sentido a la vida haciendo lo que hago?». Este hombre olvidaba que lo importante nunca es dónde se encuentra uno en la vida, el trabajo que hace, etc., sino simplemente cómo dota de contenido a su vida. Lo importante no es lo grande que sea el radio de acción, sino más bien si la vida es plena, si está «colmada». Toda persona es en *su* ámbito concreto *imprescindible e irreemplazable;* allí es *alguien*. Los deberes que su vida le impone son solo suyos y es a ella exclusivamente a quien se le exige que los cumpla. Y la vida de una persona que no colma su existencia, aunque se mueva en un ámbito muy amplio, es menos plena que la de otra que cumple con su deber dentro de un ámbito más restringido. En su entorno concreto, el ayudante de sastre puede aportar más y llevar una vida más útil y llena de sentido que la de la persona a la que envidia, si esta no es consciente de que tiene una responsabilidad mayor a la que no hace justicia.

¿Pero qué pasa, por ejemplo, con los parados?, podría alegar alguien que olvide que el ejercicio de una profesión no es el único ámbito en el que una persona puede dar activamente sentido a su vida. ¿Tiene la vida entonces sentido por sí misma? Preguntemos simplemente a las muchas personas que se lamentan —no sin razón— de lo *absurdo* que es su trabajo (a menudo, además, mecánico), de lo absurdo que es estar sumando constantemente columnas de cifras o realizando maniobras siempre idénticas con las palancas de la máquina en la cadena.

La vida de estas personas solo puede llenarse de sentido, de un sentido personal y humano, en su poco tiempo libre. Por otra parte, el parado, que, al contrario que la persona anterior, cuenta con mucho tiempo libre, también tiene la oportunidad de dar sentido a su vida.

Que nadie crea que somos tan frívolos como para subestimar las dificultades financieras, los apuros económicos o los problemas sociológicos o económicos que suponen estas situaciones. Hoy sabemos mejor que nunca hasta qué punto «la comida está por delante de la moral». No nos engañamos. Pero todos sabemos lo absurdo que resulta comer sin ninguna moral y lo catastrófico que puede resultar este sinsentido para aquel que solo tiene en cuenta la comida, y, no menos importante, sabemos que solo la «moral», es decir, la fe inquebrantable en el sentido incondicional de la vida, hace que la vida sea soportable. *Pues, como hemos comprobado, el ser humano está realmente dispuesto a morir de hambre si morir de hambre tiene un sentido.*

Pero no solo hemos visto lo difícil que resulta pasar hambre si no se tiene una «moral». También hemos visto lo difícil que es exigir a una persona que tenga una moral cuando se le está dejando morir de hambre. Una vez debía entregar un informe pericial psiquiátrico sobre un joven adolescente que, en una situación de extrema necesidad, había robado una hogaza de pan; la pregunta del tribunal era exactamente si el muchacho era una persona «deficiente» o no. En mi informe tuve que admitir que, desde un punto de vista psiquiátrico, no se le podía considerar en absoluto deficiente; pero al mismo tiempo expliqué que en su situación debería haber sido muy superior para, teniendo ese hambre, resistirse a la tentación de robar el pan.

No solo en nuestra actividad podemos dar sentido a la vida en la medida en que respondemos de manera responsable a las preguntas concretas que nos plantea. Podemos cumplir con las exigencias de la vida no solo como seres que actúan, sino también como seres que aman, con nuestra entrega amorosa a lo bello, lo grande y lo bueno. Podría explicarles en una frase cómo la experiencia de la belleza puede dar sentido a la vida, pero prefiero limitarme al siguiente experimento mental: imagine que está sentado en una sala de conciertos, escuchando su sinfonía favorita. En este momento está escuchando el susurro de sus compases preferidos y la emoción que siente es tan grande que le produce escalofríos; y ahora imagínese que fuera posible algo que psicológicamente es imposible, que alguien le preguntara en ese momento si su vida tiene sentido. Supongo que no me equivoco si pienso que solo hay una respuesta que usted daría en ese momento, y esta sería más o menos la siguiente: «¡Solo por este instante valdría la pena haber vivido!».

Y algo similar le ocurriría a alguien que no se emocionara ante el arte, sino ante la naturaleza o ante una persona. ¡O acaso no conocen ese sentimiento que nos invade en presencia de una persona determinada y que, expresado en palabras, viene a decir más o menos que el mero hecho de que haya una persona así en el mundo hace que este mundo y la vida en él tengan sentido! Alguien me preguntó recientemente: «¿No es horroroso que todas esas personas —hablábamos de los mártires que morían por una idea— se hayan sacrificado en vano, es decir, sin ningún sentido?». A lo cual respondí: «No, no es horroroso. ¡Y el mundo entero no lo será mientras haya en él personas que se sacrifiquen aparentemente sin sentido; mientras esto sea así, tendrá sentido vivir en este mundo!».

Damos sentido a la vida con nuestras acciones, pero también con nuestro amor y, en definitiva, con nuestro sufrimiento. Porque la postura que adopta una persona cuando su vida se ve limitada en lo que respecta a su capacidad de actuar y de amar, el modo en que *reacciona* frente a estas limitaciones, cómo asume tener que sufrir a causa de ellas, cómo carga con su cruz, todo esto le da la oportunidad de poner en práctica ciertos valores.

En un periódico vi una vez un dibujo que representaba a un matrimonio de náufragos flotando a la deriva sobre una pequeña balsa en medio del océano. Mientras que el hombre, con expresión temerosa, se servía de su camisa blanca para hacer señales a barcos invisibles, obviamente en vano, la mujer, arrodillada, trabajaba afanosamente fregando con un cepillo los maderos de la balsa. Lo que pretendo mostrar es cómo la mujer se comportó de forma correcta, «digna», incluso en una situación aparentemente sin esperanza, cómo, también en un momento así, siguió siendo una «buena ama de casa». Lo que el chiste presenta como una ingenuidad o una debilidad para nosotros sería, en cierto modo, un logro.

Así pues, la actitud que adoptamos ante las dificultades demuestra quiénes somos y es un modo de dar sentido a la vida. No olvidemos tampoco el espíritu deportivo, ¡ese espíritu realmente humano! ¿Qué hace el deportista si no enfrentarse a dificultades para ir superándose con ellas? Evidentemente, lo normal no es crearse más dificultades; generalmente se entiende más bien que sufrir a causa de una desgracia solo tiene sentido si se trata de una desgracia fatal, es decir, *inevitable* e *ineludible*. Alguien la llamó una vez desgracia «noble». ¡Pero sufrir por ella ya es ennoblecedor! E incluso puede conducir al ser humano al reino de los valores más altos.

Por lo tanto, el destino, es decir, aquello que nos sucede, siempre puede modelarse de una forma u otra. «No existe ninguna situación que no pueda ennoblecerse, o bien actuando o bien soportándola», dice Goethe. *O cambiamos el destino —si es posible— o lo aceptamos voluntariamente —si es necesario—*. En ambos casos, la desgracia nos hace crecer interiormente. Y ahora podemos entender qué quiere decir Hölderlin cuando escribe: «Cuando entro en mi desgracia, me elevo».

Qué equivocado nos parece ahora que las personas se quejen de su desgracia o luchen contra su destino. ¿Qué hubiera sido de nosotros sin nuestro destino? ¿Cómo habría adquirido forma nuestra existencia sin los martillazos del destino sobre nuestro sufrimiento incandescente? Quien se rebela contra su destino —o sea, contra lo que no puede hacer nada, *contra lo que, con toda seguridad, no puede cambiar*—, no ha entendido el sentido de todo destino.

Realmente, el destino forma parte de la totalidad de nuestra vida y no puede arrancársele a la vida ni la más mínima parte de este destino sin destruir con ello la totalidad, la forma de nuestra existencia. Si un epiléptico se pregunta qué hubiera sido de él si su padre no hubiera sido alcohólico y no lo hubiera engendrado en estado de embriaguez, lo único que le puedo responder es que acusa inútilmente a su destino, pues el planteamiento de su pregunta es erróneo: si lo hubiera engendrado otro padre, él no hubiera sido «él» y, por lo tanto, no habría podido formular esta pregunta absurda ni hacer acusaciones furiosas contra el destino.

De nuevo, un chiste nos sirve como símil y, de nuevo, se trata de un chiste enigmático, yo me atrevería a decir metafísico. Hace poco en un diario estadounidense vi una viñeta que representaba a dos soldados de guardia, «con el cielo estrellado sobre sus cabezas», pero aparentemente «sin principios morales», pues uno de los dos compañeros, ambos bastante desaliñados y sin afeitar, le reprocha al otro: «¿Por qué demonios no viniste al mundo como una hermosa mujer...?».

De modo que tanto el destino como el sufrimiento forman parte de nuestra vida. Por lo tanto, si la vida tiene sentido, el sufrimiento también. Así que el sufrimiento, si es un sufrimiento necesario, es una oportunidad de llenar la vida de sentido. Y como tal se lo reconoce y se lo ensalza en todas partes. Hace años nos llegó la noticia de que la organización escultista inglesa había distinguido a tres jóvenes por sus grandes méritos. ¿Y quiénes recibieron el galardón? Tres jóvenes enfermos incurables que se encontraban en el hospital y soportaban su destino con valentía y dignidad. De esta manera se reconocía públicamente que sufrir dignamente el destino es un mérito, incluso el mayor de los méritos. Por consiguiente, si la analizamos a fondo, la alternativa que plantea la anterior frase de Goethe no es del todo cierta: en última instancia, la decisión no puede ser actuar o soportar, sino que posiblemente *la más digna de las actuaciones sea soportar el sufrimiento.*

En mi opinión, probablemente quien mejor ha sabido expresar con una sola palabra el carácter esencial de logro que posee el verdadero sufrimiento ha sido Rilke, que una vez gritó: «¡Por cuánto sufrimiento hay que pasar!», haciendo referencia a que el sufrimiento puede dar tanto sentido a nuestra vida como el trabajo.[1]

Como solo puede existir una alternativa para dar en cada momento respuesta a la vida, a un instante determinado, es decir, como solo existe una decisión posible, una respuesta posible ante cada una de las preguntas que la vida nos plantea en cada momento, de todo esto se deriva que la vida siempre nos ofrece la posibilidad de darle un sentido y, en consecuencia, siempre puede tener un sentido; dicho de otro modo, siempre puede dársele sentido a la existencia humana, «hasta el último suspiro». Mientras una persona respira, mientras está consciente, es responsable de dar respuesta a las preguntas de la vida. Esto no debería extrañarnos si recordamos lo que seguramente es el hecho humano fundamental: ¡ser humano no es más que ser consciente y ser responsable!

Entonces, si la vida siempre puede tener sentido, depende de cada uno de nosotros colmarla en cada instante de ese sentido posible, siempre cambiante, y si es responsabilidad y decisión nuestra hacer realidad este sentido en cada ocasión, entonces está claro que despreciar la vida es absurdo, no tiene ningún sentido. Por lo tanto, el suicidio no puede ser en ningún caso la respuesta a una pregunta; el suicidio nunca puede resolver un problema.

Antes ya hemos recurrido al ajedrez como alegoría de la posición del ser humano frente a su vida, de la postura que adopta ante cada pregunta que le plantea la vida; con el ejemplo de «la mejor jugada de ajedrez» queríamos mostrar que el problema de la vida

1. Rilke utiliza la palabra *aufleiden* («conseguir mediante el sufrimiento»), que no existe en alemán, haciendo un paralelo con *aufarbeiten* («conseguir mediante el trabajo»). Véase Viktor E. Frankl, *El hombre en busca de sentido*, Barcelona, Herder, 2015, p. 107. *(N. de la T.)*

solo puede plantearse de manera concreta, referido a una persona y una situación determinadas, a una persona y a un instante, al aquí y ahora. Ahora volvemos a servirnos del símil del ajedrez para mostrar que el intento de «solucionar» un problema vital mediante el suicidio es necesariamente absurdo.

Supongamos que a un jugador de ajedrez se le plantea un problema, cuya solución no encuentra, y, entonces, tira las piezas del tablero. ¿Ha solucionado así el problema? Indudablemente, no. Pues exactamente así es como actúa el suicida: tira su vida y cree que de ese modo ha solucionado un problema que parecía irresoluble. No sabe que así está vulnerando las reglas de juego de la vida, del mismo modo que el jugador de ajedrez de nuestro ejemplo descuida las reglas del ajedrez, que dicen que un problema del juego puede resolverse saltando con el caballo, enrocando, o como sea, pero siempre mediante una jugada, nunca tal y como hemos descrito antes. El suicida *viola las reglas del juego de la vida; esas reglas no dicen que debamos ganar a cualquier precio, pero sí dicen que en ningún caso debemos abandonar la lucha...*

Alguien podría objetar que si admitimos que el suicidio es absurdo, ¿no sería la vida en sí misma absurda, teniendo en cuenta que a todos nos espera una muerte *natural*? Si nada perdura, ¿no es absurdo comenzar cualquier empresa? Intentaremos responder a esta objeción formulando la pregunta al revés: ¿qué pasaría si fuéramos inmortales? La respuesta podría ser: si fuéramos inmortales, entonces podríamos aplazarlo todo, absolutamente todo, pues nunca importaría si hacemos algo en el momento, mañana, pasado mañana, dentro de un año, en cien años o cuando fuera. No tendríamos la amenaza de la muerte, de un final, las oportunidades serían ilimitadas, no veríamos ningún motivo para hacer algo en ese mismo momento o entregarnos a alguna experiencia —habría *tiempo,* tendríamos tiempo, un tiempo *infinito*—. Sin embargo, es precisamente el hecho de que seamos mortales, de que nuestra vida sea finita y nuestras oportunidades limitadas lo que hace que tenga sentido emprender algo, usar una oportunidad y llevar algo a cabo, aprovechar y llenar el tiempo. La muerte es la que nos empuja a ello. *La existencia de la muerte es precisamente lo que convierte nuestro ser en un ser responsable.*

Visto de este modo, es probable que la duración de una vida humana nos parezca totalmente irrelevante. Una larga duración no le confiere, ni mucho menos, sentido, y su eventual brevedad tampoco la vuelve en absoluto absurda, del mismo modo que no valoramos la biografía de una persona por el número de páginas que ocupa, sino por su contenido.

En este sentido, deberíamos tratar también la cuestión de si la vida de una persona que no ha tenido hijos deja de tener sentido precisamente por este motivo. A esto podemos responder que o bien la vida individual *tiene* sentido —en cuyo caso debería conservarlo aunque no se reproduzca, aunque no se confíe en una «perpetuación» biológica que, dicho sea de paso, es ilusoria—, o bien la vida individual no tiene *ningún* sentido —ni podría alcanzarlo nunca intentando «perpetuarse» por medio de la reproducción, puesto que no tiene sentido perpetuar algo que es «absurdo» en sí mismo—.

Solo hay una cosa que podemos deducir de todo esto: tiene sentido que la muerte forme parte de la vida, del mismo modo que el destino (del que hablábamos antes), las desgracias que le esperan a una persona y el sufrimiento a causa de estas desgracias. *Ni la desgracia ni la muerte hacen la existencia humana absurda, al contrario, ellas son las que le dan sentido.* Así que es precisamente la singularidad de nuestra existencia en el mundo, la imposibilidad de recuperar el tiempo vivido, la irrevocabilidad de todo aquello con lo que llenamos o dejamos de llenar nuestra vida, lo que da sentido a nuestra existencia. Pero no es la *singularidad de la vida individual* como un todo lo único que le da peso, también la singularidad de cada día, de cada hora, de *cada instante, carga nuestra existencia con el peso de una terrible y a la vez maravillosa responsabilidad*. Cada hora en la que no cumplimos, sea como sea, con la exigencia que nos plantea la vida es una hora perdida, perdida «para toda la eternidad». Por el contrario, todo aquello que llevamos a cabo aprovechando la oportunidad que nos da el momento queda preservado para siempre en la realidad, una realidad de la que solo «desaparece» aparentemente al convertirse en pasado, pero en la que realmente se conserva, en el sentido de que queda «salvaguardado». En este sentido, el pasado sería incluso la forma más segura de existir. A la vida que hemos preservado en el pasado nada puede hacerle ya la transitoriedad de las cosas.

Obviamente, nuestra vida biológica, física, es, por naturaleza, efímera. Nada de ella permanece y, sin embargo, ¡cuánto queda! Lo que queda de ella, lo que quedará de nosotros, lo que puede sobrevivirnos, es todo aquello que llevamos a cabo en nuestra existencia y cuyos efectos permanecen más allá de nosotros. Nuestra vida se transforma en sus efectos y, en este sentido, se asemeja al radio, cuya materia se va transformando en radiaciones durante el «transcurso de su vida» (y es sabido que las sustancias radiactivas tienen una vida limitada) para no volver a convertirse nunca de nuevo en materia. Lo que nosotros «irradiamos» al mundo, las «ondas» que salen de nuestro ser, es lo que quedará de nosotros mucho después de que hayamos desaparecido. Habría un medio muy sencillo —casi podríamos decir un truco— para poder apreciar inconfundiblemente en toda su grandeza la responsabilidad con la que carga nuestro ser en cada instante, *una responsabilidad frente a la que solo podemos temblar y, al mismo tiempo, sentirnos felices*. Existe una especie de imperativo categórico, es decir, una fórmula del tipo «actúa como si», formalmente similar a la célebre máxima de Kant, que más o menos diría así: *«¡Actúa como si vivieras por segunda vez y la primera lo hubieras hecho tan desacertadamente como estás a punto de hacerlo ahora!»*.

La limitación temporal intrínseca a nuestra existencia, que se hace visible en la realidad de nuestra muerte inminente (aunque sea en un futuro aún lejano), no es lo único que da sentido a la vida. Nuestras limitaciones en la coexistencia con otros individuos tampoco vuelven absurda la vida de cada ser humano, sino que, al contrario, le otorgan sentido. Estoy hablando de nuestra imperfección, de las limitaciones internas que forman parte de la naturaleza de cada persona. Pero antes de desarrollar la idea que nos conducirá a encontrar el sentido de nuestra imperfección, preguntémonos si tiene alguna razón de ser que una persona se angustie a causa de sus imperfecciones y debilidades. Preguntémonos si es posible que una persona que valora su existencia en relación con un deber, que se mide a sí misma por un ideal, sea completamente inútil. ¿No es más bien que precisamente el hecho de que pueda perder la confianza en sí misma de algún modo la justifica y le priva del derecho a desesperarse? Pues, ¿acaso podría juzgarse a sí misma si tuviera tan poco valor que ni siquiera fuese capaz de ver un ideal? ¿No prueba el hecho de que se juzgue a sí misma que tiene la dignidad y la grandeza de un juez? Y el hecho de ser consciente de su alejamiento del ideal, ¿no confirma que no ha renegado *totalmente* de ese ideal?

Y ahora pasemos a la cuestión del significado de nuestra imperfección y nuestras limitaciones. No olvidemos que toda persona es imperfecta, pero cada una lo es de un modo diferente, cada una «a su estilo», de una manera única. Expresado de forma positiva, cada persona es, en cierto modo, irreemplazable, insustituible, inconfundible. Podemos ilustrar esto con un ejemplo del mundo de la biología: como sabemos, en el origen del desarrollo de los seres vivos, las células son «capaces de todo». Una célula «primitiva» puede comer, moverse, reproducirse, «sentir» de algún modo su entorno, etc. Solo a raíz de su larga evolución hacia organismos pluricelulares superiores, la célula se especializa y acaba realizando una función única, de acuerdo con el principio de la división progresiva del trabajo dentro de un mismo organismo; ¡consigue una relativa exclusividad funcional a costa de la «perfección» original de sus capacidades! Una célula de la retina del ojo, por ejemplo, ya *no* puede comer, moverse ni reproducirse; pero lo único que *puede* hacer, que es ver, lo hace de una manera excepcional, volviéndose insustituible en esta función específica: no puede ser reemplazada, por ejemplo, por una célula de la piel, una célula muscular o una célula germinal.

Del mismo modo que hemos visto que la muerte tiene sentido y es necesaria, puesto que en ella se basa la *unicidad* de nuestra existencia y, con ella, nuestra responsabilidad, vemos ahora que la imperfección del ser humano es útil y necesaria, pues, visto de manera positiva, es parte de la *singularidad* de nuestra existencia. Pero esta singularidad, vista como un valor positivo, no puede asentarse en sí misma: la singularidad de cada ser humano obtiene su valor del hecho de relacionarse con un todo superior (de forma análoga al valor de una célula única para el organismo en su conjunto), en este caso, con una comunidad. La singularidad solo puede tener valor si no lo es para sí misma, sino dentro de una comunidad humana. El simple hecho de que cada individuo humano posea huellas dactilares «únicas» puede ser relevante para el esclarecimiento de un delito o la investigación de un criminal, pero esta «peculiaridad» biológica de todo individuo no lo convierte todavía en una «personalidad», en una criatura cuya singularidad resulta *valiosa para la comunidad*.

Si intentamos resumir en una fórmula la unicidad de toda existencia y la singularidad de cada ser humano, expresando a la vez que esta es una singularidad «para» —es decir que está relacionada con los otros, con la comunidad—, si intentamos, además, que esta fórmula nos recuerde la *responsabilidad «tremenda y maravillosa» del ser humano, la «gravedad» de su vida,* podríamos recurrir a una frase que Hilel el Sabio convirtió hace 1 500 años en su lema. La máxima dice: «Si yo no lo hago, ¿quién lo hará? Pero si solo lo hago por mí, entonces ¿qué soy yo? Y si no lo hago ahora, ¿cuándo si no?». En este «si yo no...» se encuentra la singularidad de cada persona; la frase «si solo por mí...» esconde la ausencia de valor y la absurdidad de esa singularidad, a menos que esta sirva a la comunidad, mientras que «y si no ahora...» hace referencia al carácter único de cada situación.

Si recapitulamos lo dicho hasta ahora sobre el «sentido» de la vida, podemos decir que la vida es ser cuestionado y dar respuestas, ser cada uno responsable de su propia existencia. De este modo, la vida ya no se concibe como una circunstancia, sino como un deber —en cada momento hay una tarea que cumplir—, de lo que también se deriva que cuanto más difícil sea, más sentido tendrá. El deportista que se enfrenta a desafíos se está creando sus propias dificultades. Pensemos en un escalador. ¡Cuánto se alegra este cuando encuentra en una pared una «variante» más difícil! Debemos señalar en este punto que la persona religiosa se distingue por su actitud ante la vida y por su «comprensión de la existencia» en la medida en que va un paso más allá que la persona que la entiende como un deber, añadiendo a este deber, por así decirlo, la instancia que se lo «ha encomendado», o sea, ¡la divinidad! Dicho de otro modo, la persona religiosa entiende la vida como un *mandato* divino.

¿Qué podríamos decir, a modo de conclusión, sobre la cuestión del «valor» de la vida? Tal vez la forma más acertada de expresar la visión que presentamos sea mediante las siguientes palabras de Hebbel: «¡La vida no es algo, sino la ocasión para algo!». Ya han escuchado hoy las *reflexiones* (en algunos casos harto áridas y sobrias) que pueden derivarse de estas pocas palabras de un poeta; pero en el siguiente pasaje de la carta que me envió una mujer de 85 años a raíz de una de mis conferencias radiofónicas puede observarse cómo se reflejan estos mismos pensamientos en el corazón tan grande como humilde de una persona deliciosamente corriente: «[...] ahora entiendo mi vida como un periodo de gracia para convertirme en una persona mejor». ¿Saben ustedes cómo logra encontrar un piloto en un vuelo sin visibilidad, de noche y con niebla, el aeródromo al que se dirige? Desde allí le envían señales en código morse desde dos sectores, de manera que en la línea de contacto de ambos sectores, y solo en ella, se escucha un zumbido constante en los auriculares del piloto: lo único que tiene que hacer el piloto es pilotar el avión de manera que escuche ese tono continuo y, de este modo, podrá aterrizar con seguridad dentro de la línea señalada. ¿No le ocurre algo similar al ser humano en su trayectoria vital? ¿No tiene cada persona también un camino predeterminado que la conduce a su «meta», un camino «único» hacia una «única» meta?

Primera conferencia del ciclo de conferencias del mismo nombre en la Universidad Popular de Ottakring (Viena)

Sobre el sentido y el valor de la vida III
Abril de 1946

Experimentum crucis
Landsberg es una pequeña ciudad de Baviera a unos cincuenta kilómetros al oeste de Múnich. Al sur de la ciudad, una carretera conduce al pueblo de Kaufering, que se encuentra a cinco kilómetros de distancia. A comienzos del pasado año, una mañana al amanecer, 280 hombres marchaban por esa carretera. La columna constaba de cinco filas e iba escoltada por hombres de las SS. Se trataba de un grupo de prisioneros del campo de concentración de Kaufering. Se dirigían a un bosque cercano donde había que construir, camuflada, una fábrica de armamento de enormes proporciones. Las que caminaban por la carretera eran figuras harapientas y desnutridas. Pero caminaban no es la palabra correcta; cojeaban, se arrastraban, colgándose y apoyándose a menudo los unos en los otros; las piernas, hinchadas a causa de los edemas de hambre, apenas podían aguantar cuerpos que pesaban tan solo unos cuarenta kilos; los pies dolían porque estaban llagados, con rozaduras supurantes y sabañones reventados. ¿Qué pasaba por la mente de estos hombres? Pensaban en la sopa que les repartían en el campo una vez al día, por la noche, cuando regresaban del trabajo, y se preguntaban si esa noche tendrían la suerte de pescar una patata flotando en el caldo aguado. Y pensaban en el grupo al que los destinarían en el próximo cuarto de hora, cuando comenzara el trabajo, si acabarían en uno de los grupos vigilados por un temible capataz o en otro con uno más o menos agradable. Así que los pensamientos de estas personas giraban en torno a las preocupaciones cotidianas de un prisionero de un campo de concentración.

Después, a uno de esos hombres estos pensamientos empezaron a resultarle demasiado simples. Intentó obligarse a pensar en otras cosas, a tener preocupaciones «más dignas de un ser humano», pero no llegaba a conseguirlo. Entonces empleó un truco: se esforzó por tomar distancia de esa vida tan atroz, por ponerse por encima, por verla, como suele decirse, desde una perspectiva más amplia o desde el punto de vista del futuro, en el sentido de una futura reflexión teórica sobre ella. ¿Y qué hizo? Imaginó que se hallaba ante un atril en la Universidad Popular de Viena y daba una conferencia sobre lo que estaba experimentando en ese momento, y mentalmente dio una conferencia cuyo título era «La psicología del campo de concentración».

Si hubieran contemplado más de cerca a aquel hombre, se habrían dado cuenta de que en dos pequeños pedazos de lino que llevaba cosidos en la chaqueta y en el pantalón podía leerse un número: 119 104. Y si hubieran buscado en los registros del campo de Dachau, habrían visto que junto a ese número aparecía el nombre de un prisionero: Frankl, Viktor.

Hoy, en esta sala de la Universidad Popular de Viena, quiero ofrecer por primera vez al público la conferencia que aquel hombre pronunció en aquel momento en su mente. Aquella conferencia comenzaba con las siguientes palabras:

En la psicología de la experiencia concentracionaria podemos distinguir varias fases en lo referente a la reacción psicológica de los reclusos. La primera tiene lugar durante el internamiento del preso en el campo. Esta es la fase que podríamos denominar y caracterizar como *shock* del ingreso. Imagínense que el preso es internado, por ejemplo, en Auschwitz. Aproximadamente el 95 % de los presos de mi expedición tuvieron que tomar el camino que llevaba directamente de la estación a la cámara de gas; en cambio, el 5 % de los presos, una minoría de la que casualmente yo formaba parte, fuimos dirigidos de momento a la cámara de desinfección —es decir, a una *verdadera*... ducha—. Pero antes de que el recluso pueda entrar en el baño, le quitan todo lo que lleva. Solo puede quedarse con los tirantes o el cinturón, a lo sumo con las gafas o el braguero. Tampoco le queda ni un pelo en el cuerpo, lo rasuran completamente.

Cuando finalmente se encuentra bajo la ducha, no le queda nada de su anterior vida, excepto su existencia literalmente «desnuda». Y entonces tiene lugar lo que da comienzo realmente a la primera fase de su experiencia en el campo de concentración: el preso da por terminada su existencia anterior. A nadie le sorprenderá que su siguiente pensamiento tenga que ver con la mejor manera de suicidarse. En efecto, en esta situación, todos coquetean, aunque solo sea por un instante, con la idea de «lanzarse contra las alambradas», de suicidarse mediante el método habitual en el campo: tocando la valla de alambre electrificada. Pero pronto abandona esta intención, sencillamente porque deja de tener sentido. Un intento de suicidio en esta situación resulta superfluo, ya que las probabilidades de no «ir a la cámara de gas», antes o después, son muy escasas. ¿Quién necesita lanzarse contra las alambradas si tarde o temprano va a ir a la cámara de gas? Desde el momento en que debe temer el «gas» ya no necesita desear las «alambradas»; y cuando ya ha deseado las «alambradas», ya no debe temer el «gas»...

Siempre que hablo de estos temas, suelo contar el siguiente episodio: la primera mañana que pasamos en Auschwitz, un colega que llevaba varias semanas en el campo se unió a nuestro grupo de recién llegados, reunidos en un barracón separado del resto. Quería consolarnos y darnos algunos consejos. Sobre todo, quería que comprendiéramos que debíamos prestar atención a nuestro aspecto. Debíamos esforzarnos a toda costa por dar la impresión de que estábamos en buenas condiciones para trabajar. Bastaba con que alguien cojeara debido a cualquier detalle sin importancia, por ejemplo, porque le apretaban los zapatos; si lo veía un hombre de las SS, podía perfectamente hacerle una señal y enviarlo en el acto a la cámara de gas. Solo las personas aptas para el trabajo podían sobrevivir en el campo, ¡a todas las demás se las consideraba indignas de la vida! Por eso, el compañero nos aconsejó que nos afeitáramos a diario para que, después de habernos rasurado la cara con algún objeto improvisado, pongamos con un trozo de vidrio, tuviéramos un aspecto más «sonrosado», fresco y saludable. Y después de pasar revista a nuestro grupo para ver si todos dábamos la conveniente impresión de salud y capacidad de trabajo, dijo tranquilizándonos: «Tal y como os veo ahora, de momento, ninguno de vosotros debe temer que lo envíen a la cámara de gas, excepto quizá ese de ahí, excepto tú, Frankl. Espero que no te tomes a mal que te lo diga, pero eres el único que, por su aspecto, entraría en consideración para una selección en estos momentos». («Selección» era la palabra que se utilizaba habitualmente en el campo para referirse a la elección de aquellas personas que debían ir a la cámara de gas con el siguiente grupo). Yo no estaba en absoluto enojado con él, lo que sentía a lo sumo en aquel momento era la satisfacción de saber que, de ese modo, muy probablemente podría ahorrarme el tener que suicidarme.

La indiferencia hacia el propio destino va en aumento. A los pocos días de su estancia en el campo, el prisionero se va embotando más y más. Las cosas que ocurren a su alrededor cada vez le conmueven menos. Mientras que durante los primeros días una inconcebible multitud de impresiones sumamente desagradables en todos los sentidos provocan sentimientos de horror, indignación y repugnancia en el recién llegado, estos sentimientos van disminuyendo hasta que finalmente la vida emocional queda reducida al mínimo. Todos los pensamientos y todos los esfuerzos se orientan a sobrevivir un día más. La vida interior se limita a este único interés y, frente a todo lo demás, la vida se rodea de un caparazón en el que rebotan las impresiones habitualmente conmovedoras y emocionantes. Así se protege el alma y así es como esta intenta ponerse a salvo del poder de aquello que la invade y recuperar su equilibrio —salvarse a través de la indiferencia—. Y así comienza la segunda fase de la reacción psicológica del prisionero a la vida en el campo de concentración, que podríamos definir como fase de la apatía.

Pero si todo el interés se centra en conservar la propia vida y la de algunos pocos amigos, la vida interior del ser humano se reduce hasta quedar convertida prácticamente en la propia de un animal, o incluso podría decirse más concretamente, en la de un animal gregario. Para poder valorarlo, tendríamos que haber observado el comportamiento de los presos mientras formaban una columna, preocupados, sobre todo, por estar en el centro del pelotón y en el medio de la fila de a cinco, para así no encontrarse tan expuestos a las patadas de los guardias; en realidad, cada individuo se esforzaba por pasar desapercibido, por no exponerse en modo alguno, sino más bien perderse entre la masa. A nadie puede extrañar que este desaparecer entre la masa condujera a la desaparición, al declive de la individualidad. En el campo, el ser humano amenazaba con convertirse en masa. Por lo general, se volvió tan primitivo como un ser gregario. Su disposición pulsional se volvió muy primitiva. Y era primitiva justamente porque era muy pulsional. Así se entiende también que algunos colegas psicoanalistas que estuvieron conmigo en el campo de concentración hablaran de «regresión», pues la regresión es el retroceso del alma a estadios pulsionales primitivos.

De hecho, en los sueños que tenían habitualmente los prisioneros pueden apreciarse los deseos primitivos a los que se entregaban interiormente. ¿Con qué soñaban normalmente los reclusos en el campo? Pues siempre con lo mismo: pan, cigarrillos, un buen café en grano y un buen baño de agua caliente (personalmente, yo soñaba una y otra vez con un determinado tipo de pastel).

Sin embargo, el discurso de los colegas de orientación psicoanalítica era absolutamente equivocado, puesto que no es cierto que la experiencia del campo de concentración los condujera de manera fatídica a la regresión, es decir, a un retroceso interior. Conozco muchos casos —y aunque sean casos aislados, constituyen una prueba fundamental— de personas en las que no se produjo, ni mucho menos, una regresión interior, personas que, bien al contrario, progresaron, se superaron interiormente, crecieron hasta alcanzar la verdadera grandeza humana, y todo ello justamente en el campo de concentración, gracias a la experiencia en el campo de concentración.

Otros especialistas no psicoanalistas han interpretado de manera diferente lo que les sucedía a las personas en el campo. El profesor Utitz, célebre caracterólogo, que pasó varios años en un campo de concentración, creyó observar que el carácter de los internos del campo evolucionaba generalmente hacia el tipo psicológico que Kretschmer denomina esquizoide. Como es sabido, el tipo esquizoide oscila básicamente entre un estado de apatía y de irritabilidad, mientras que el otro tipo más destacado, caracterizado por el temperamento «cicloide», tan pronto está «loco de alegría» como «muerto de tristeza», va pasando de una alegre excitación a un triste malestar. Este no es el lugar adecuado para entrar en una discusión técnica sobre esta interpretación psicopatológica; me limitaré a lo esencial, a lo que yo mismo pude comprobar, contrariamente a Utitz, basándome en el mismo «material» de observación, esto es, que el hecho de estar en un campo de concentración no obliga de ningún modo a la persona a evolucionar interiormente hacia el «típico prisionero de un campo de concentración», con su (aparente) esquizofrenia, sino que la persona siempre conserva la libertad de adoptar una actitud u otra frente a su destino, frente a sus circunstancias. ¡Y sí había diferentes formas de actuar! Había personas en el campo que conseguían, por ejemplo, vencer su apatía y contener su irritabilidad, y en el fondo se trataba de apelar a esta capacidad de mostrarse de otro modo y no solo como supuestamente se debía ser. Aunque pudieran quitar al preso todo lo demás y, de hecho, se lo quitaran, no podían arrebatarle el poder interior, la verdadera libertad humana, que este conservaba incluso cuando, de un puñetazo, le rompían en la cara las gafas que le habían permitido conservar, incluso cuando se veía obligado a cambiar su cinturón por un trozo de pan, deshaciéndose así de la última de sus pertenencias. ¡El preso conservaba esta libertad hasta el último aliento!

Aun cuando la persona dentro del campo de concentración *sucumbía* a las leyes psicológicas, había tenido la libertad de escapar del poder y la influencia del entorno, de no someterse a esas leyes, sino de oponerles resistencia y escapar de ellas, en lugar de obedecerlas ciegamente. En otras palabras: esa persona tuvo la libertad pero, por así decirlo, había renunciado a ella, y, al hacerlo, se había abandonado a sí mismo, había abandonado su ser, su verdadera naturaleza. Se había abandonado espiritualmente.

Pero ahora debemos preguntarnos cuándo comenzaba esa degradación, cuándo se derrumbaba psicológicamente la persona. Y la respuesta es: cuando perdía su sostén espiritual, en el momento en que ya no tenía ese asidero interior, que podía consistir en dos cosas: la esperanza en el futuro o la esperanza en la eternidad. Este último era el caso de las personas verdaderamente religiosas; estas ni siquiera necesitaban tener esperanza en el futuro, en una vida futura fuera del campo, en libertad, tras la liberación. Estas personas podían mantenerse en pie con independencia de la suerte que esperaban en el futuro, de si llegarían a vivir o no ese futuro, de si sobrevivirían al campo de concentración. En cambio, el resto dependía de encontrar la manera de apoyarse en su futuro, en el sentido de su vida futura. Sin embargo, para ellas era difícil pensar en el futuro, no tenían ningún punto de referencia, ningún punto de llegada: no podían prever un final, el final. Cómo envidiábamos al criminal que sabía que estaría exactamente diez años en prisión, que podía calcular los días que le quedaban hasta su liberación... ¡él sí que era afortunado! En el campo nadie tenía una «fecha» de liberación, o al menos nadie la conocía, y ninguno de nosotros sabía cuándo le llegaría el final. Todos los compañeros coincidían de manera unánime en que esta era probablemente una de las circunstancias más deprimentes de la vida en el campo. Y los rumores constantes sobre un inminente fin de la guerra solo ayudaban a aumentar la agonía de la espera, pues estas fechas se posponían una y otra vez. ¿Quién podía creer esas noticias? Durante tres años completos lo escuché una y otra vez: «En seis semanas habrá terminado la guerra, en no más de seis semanas habremos regresado a casa». La decepción era cada vez más amarga y profunda, la esperanza, cada vez más incierta. Como dice la Biblia, «La esperanza frustrada enferma el corazón».[1]

De hecho, el corazón enferma, tanto que hasta puede dejar de latir. Lo entenderán cuando les cuente el siguiente caso: a comienzos de marzo del año pasado, mi antiguo jefe de barracón, un libretista de ópera y compositor de tangos de Budapest, me contó que había tenido un sueño extraño.

—A mediados de febrero soñé —dijo— que una voz me hablaba y me decía que pidiera un deseo, que le preguntara algo que deseara saber, que ella podía darme la respuesta, que podía predecir el futuro. Y le pregunté cuándo terminaría la guerra para mí, ¿entiendes?, *para mí,* o sea, cuándo nos liberarían las tropas estadounidenses...

—¿Y qué te contestó la voz?

Entonces se acercó a mí y me susurró sigilosamente al oído:

—¡El 30 de marzo!

A mediados de marzo entré a la enfermería con tifus. El 1 de abril me dieron el alta y volví a mi barracón. «¿Dónde está el encargado?», pregunté. ¿Y qué me dijeron? Hacia finales de marzo, a medida que se acercaba la fecha profetizada por la voz que le habló en sueños, y sin que la situación militar pareciera dar a esta la razón, nuestro encargado empezó a estar cada vez más cabizbajo. El 29 de marzo enfermó con una fiebre muy alta. El 30 de marzo —el día en que debía acabar la guerra «para él»— perdió la conciencia y el 31 de marzo falleció a causa del tifus.

Como ven, dejarse abatir psicológicamente por la desesperanza, especialmente por la pérdida de esperanza en el futuro, conduce también al desmoronamiento físico. La cuestión ahora es si existía alguna terapia contra este desmoronamiento espiritual, psicológico y físico, si no había algo que podríamos haber hecho para evitarlo, y qué hubiera sido. Lo único que puedo responder es que sí que había una terapia, pero que evidentemente esta debía limitarse desde el

1. Proverbios 13,12. *(N. de la T.)*

principio a lo psicológico, pues solo podía tratarse de una psicoterapia. Y dentro de esa psicoterapia era necesario, naturalmente, ofrecer un sostén espiritual, dar sentido a la vida. Recordemos las palabras de Nietzsche: «Quien tiene un porqué para vivir puede soportar casi cualquier cómo». Un porqué es un sentido de la vida; y el cómo eran las condiciones que hacían tan difícil la vida en el campo de concentración, que solo era soportable con vistas a un porqué, a un para qué. Por lo tanto, si en esencia no había nada más que una psicoterapia para que las personas resistieran en el campo, esta tenía que ser una psicoterapia determinada, que tenía que esforzarse por demostrar a la persona a la que se exigía la *voluntad de vivir* que la supervivencia es un deber. Más allá de esto, lo que complicaba la tarea del psiquiatra, que en el campo realizaba una tarea de cura médica de almas, era que debía tratar con personas que generalmente no podían contar con sobrevivir. ¿Qué les podía decir? Y, sin embargo, era necesario decirles algo. Así que esta situación era el *experimentum crucis* de la psicoterapia.

Ahora bien, en la conferencia anterior dije que no solo la vida, sino también el sufrimiento tienen sentido, un sentido tan incondicional que también existe cuando el sufrimiento no sirve aparentemente para nada, cuando, por consiguiente, se sufre supuestamente en vano. Y este es el tipo de sufrimiento con el que tratábamos en los campos de concentración. ¿Qué debería haberles dicho a aquellas personas tumbadas a mi lado en el barracón, que sabían muy bien que tenían que morir y que pronto lo harían? Sabían tan bien como yo que no les esperaba ninguna vida, ninguna persona, ningún trabajo [...] o, mejor dicho, que los esperaban en vano... Por eso, además del sentido de la vida, de la supervivencia, era necesario mostrarles el sentido del sufrimiento, del sufrimiento en vano, y aún más, ¡el sentido de la muerte!, una muerte que podría tener aún más sentido si nos atenemos a la frase de Rilke [...], que dice que es necesario que cada uno muera «su» propia muerte. ¡Debíamos morir nuestra muerte y no la muerte que nos impusieran las SS!

Somos tan responsables de esta tarea como de la tarea de vivir. Pero ¿responsables ante quién, ante qué instancia? ¿Quién debería dar respuesta a esta pregunta? ¿No debe responder cada cual para sí esta última pregunta? ¿Qué importa si, por ejemplo, uno del barracón se sentía responsable ante su conciencia, otro ante Dios y otro ante una persona que se encontraba lejos? En cualquier caso, *todos* sabían que de algún modo, en algún lugar, había alguien lejos de allí que lo estaba mirando, le pedía que fuera «digno de sus sufrimientos» —como dijo Dostoievski— y esperaba de él que «muriera su propia muerte». En aquel tiempo, en el que todos sentíamos la muerte cercana, todos nosotros albergábamos *esa* esperanza, y este sentimiento crecía en cada uno, conforme disminuía en él la sensación de poder esperar algo de la vida, de que alguien o algo pudieran esperarlo todavía, de que alguien pudiera esperar tan solo que sobreviviera.

Muchas personas que no estuvieron prisioneras en campos de concentración me preguntarán, asombradas, cómo puede una persona soportar todo lo que he contado. ¡Pueden estar seguros de que la persona que lo ha sufrido y ha sobrevivido a ello lo encuentra mucho más asombroso que ustedes! Pero no olviden una cosa: el alma humana parece comportarse en ciertos aspectos como una bóveda en ruinas, que se sostiene poniéndole peso encima. Hasta cierto punto y dentro de ciertos límites, el alma humana también parece fortalecerse cuando siente una «carga». Por eso pudo ocurrir, y solo de este modo puede entenderse, que más de una persona débil llegara a abandonar el campo de concentración con un estado de ánimo mejor y más fortalecido que el que tenía al entrar. Al mismo tiempo, podemos entender ahora que, por otro lado, la liberación, la salida del campo, la descarga repentina del prisionero de la fuerte presión a la que estuvo sometido todo el tiempo, pone también en peligro su mente. Suelo comparar esta situación con la llamada «enfermedad de Caisson». En este caso se trata de personas que trabajan bajo el agua, sometidas a una elevada presión, y que nunca deben exponerse bruscamente, sino de manera gradual a una presión normal, porque, de lo contrario, pueden padecer graves síntomas físicos.

Con esto habríamos llegado al debate sobre la tercera y última fase dentro de la psicología del campo de concentración: la psicología del prisionero liberado. Lo más importante que tengo que decir sobre esto tiene que ver con algo que les sorprenderá mucho, y es que pasan muchos días hasta que la persona liberada es capaz de alegrarse por su liberación. De hecho, debe aprender de nuevo a alegrarse. Y debe darse prisa en aprenderlo, pues en algunas ocasiones tendrá que volver a olvidarlo pronto para aprender a sufrir de nuevo. Me gustaría decir algunas palabras al respecto.

Imaginen que la persona liberada regresa a casa. Puede ocurrir que se le reciba aquí o allá con cierto encogimiento de hombros. Y, sobre todo, hay dos frases que tendrá que oír una y otra vez: «No sabíamos nada» y «Nosotros también hemos sufrido». Centrémonos de momento en la segunda frase y preguntémonos en primer lugar si el sufrimiento humano puede medirse y sopesarse de manera que se pueda comparar el sufrimiento de una persona con el de otra. Sobre esto me gustaría decir que el sufrimiento humano es inconmensurable. El verdadero sufrimiento colma a la persona, la llena por completo. Una vez hablé con un amigo sobre mis experiencias en el campo de concentración. Él no había estado nunca en un campo, había sido «tan solo un combatiente de Stalingrado» y, tal y como él mismo me dijo, se sentía avergonzado ante mí. Sin motivos. Aunque realmente hay una diferencia significativa entre lo que vive una persona en la batalla y lo que experimenta en un campo de concentración: en la batalla se enfrenta a la nada, a la muerte inminente; en el campo, nosotros mismos éramos la nada, estábamos muertos en vida. No valíamos nada; no es solo que viéramos la nada, es que éramos la nada. Si nuestra vida no valía nada, tampoco valía nada nuestra muerte. No había ningún halo, ni siquiera uno ficticio, en torno a nuestra muerte. La muerte era el paso de una pequeña nada a la gran nada. Y apenas se notaba; ¡ya la habíamos «vivido» anticipadamente hacía mucho tiempo! ¿Qué hubiera ocurrido si yo hubiera muerto en el campo? La mañana siguiente, durante la revista, desde alguna de las filas de a cinco, alguien aparentemente indiferente, de pie allí como de costumbre (protegiéndose la cabeza de la escarcha con el cuello de la chaqueta, con los hombros encogidos) le habría susurrado al hombre que tenía al lado: «Ayer murió Frankl». Y este hombre, como mucho, hubiera dicho «hum».

Y, a pesar de todo, ningún sufrimiento es comparable a otro, pues parte de la esencia del sufrimiento es que es el sufrimiento de un ser humano, *su* sufrimiento, y que el «tamaño» de este depende únicamente de quien sufre, o sea, del ser humano. Tan único y singular como es cada ser humano lo es también su sufrimiento solitario.

Por lo tanto, hablar de diferentes tamaños de sufrimiento sería de antemano absurdo; sin embargo, una diferencia realmente importante, esencial, es la que existe entre el sufrimiento inútil y el sufrimiento con sentido. Pero, como ya habrán deducido de las conferencias anteriores, esta diferencia depende totalmente de la persona: depende de cada persona, y solamente de ella, si su sufrimiento tiene sentido o no. ¿Y qué pasa con el sufrimiento de esas personas que afirman que ellas «también sufrieron» y que «no sabían nada»? Precisamente la afirmación de no haber sabido nada es algo que, en mi opinión, vuelve absurdo ese sufrimiento. ¿Por qué digo esto? Porque surge de una interpretación ética errónea de la situación, un malentendido del que queremos ocuparnos ahora, no porque esté interesado en sacar a debate la política de hoy, sino porque considero que es necesario completar la «metafísica de la vida cotidiana», de la que nos hemos ocupado hasta ahora, con una «ética de la vida cotidiana».

Hemos hablado antes del porqué de ese no saber nada, diciendo que era una interpretación errónea; pero si nos preguntamos ahora por el para qué de esa interpretación errónea, tal vez descubramos que ese no saber nada es en realidad un no querer saber. Y en la base de esto se halla la huida de la responsabilidad.

Es cierto que actualmente las personas se sienten empujadas a huir de la responsabilidad y lo que las lleva a huir es el miedo a tener que asumir una culpa colectiva. Y es que por todas partes se las considera culpables, cómplices de cosas que ellas no han hecho, de las que en muchos casos realmente «no sabían nada». ¿Debe rendir cuentas la persona honrada de los crímenes perpetrados por otras, aunque todas ellas sean del mismo país? ¿Acaso no es cierto que ella misma fue víctima de esos crímenes, objeto del terror ejercido por la clase dirigente de su nación, y que no le fue posible rebelarse contra este terror? ¿No es cierto que ella tuvo que sufrir también este terror? *¿Hablar de culpa colectiva no sería volver a caer justamente en esa concepción del mundo contra la que se quería luchar?* Esa concepción del mundo que culpabiliza a un individuo porque otros del grupo al que él casualmente pertenece han cometido real o supuestamente algún crimen. Hoy en día esa idea nos parece, por fin, ridícula. Hoy nos parece tan ridículo considerar a alguien culpable a causa de su nacionalidad, su lengua materna o su lugar de nacimiento como hacerle responsable de su talla. Si atrapan a un delincuente de 1,64 metros de estatura, ¿debo dejar que me ahorquen por medir casualmente lo mismo?

Pero aquí debemos hacer una distinción importante, debemos diferenciar entre la culpa colectiva y la responsabilidad colectiva. [...] Sin duda, existe también algo así como la *«responsabilidad sin culpa»*. Algo así ocurre con ese grupo de personas que fueron liberadas colectivamente del terror. Ellas no podían liberarse por sí solas. Otros colectivos, otras naciones defensoras de la libertad tuvieron que intervenir, disponerse al combate y sacrificar a sus mejores hombres, a sus jóvenes, para liberar a una nación indefensa frente a sus líderes. La impotencia no los hacía culpables, pero ¿acaso sería injusto pagar esa liberación con algún que otro sacrificio y *sentirse corresponsables, aun sin sentirse culpables, aun sabiéndose inocentes*?

En ningún caso partimos de la base de la existencia de una culpa colectiva. Pero sí nos encontramos con esta postura por parte de aquellos que quieren escapar de la responsabilidad colectiva o incluso de una culpa individual. Intentan desviar la atención. Aquí no solo podemos decir aquello de «quien se excusa se acusa», sino también que «la persona que acusa a otras se acusa a sí mismo». Quien hace esto trata de echar la culpa a los demás —su culpa, su responsabilidad y las del grupo al que pertenece—. Esto es algo que vemos constantemente aquí, en Austria: nadie acusa a los culpables en sus propias filas y mucho menos a sí mismo, sino que se acusa a «los alemanes» a la voz de «¡A por los boches!», sin darse cuenta de que esto no hace más que probar lo que uno tanto se esfuerza en desmentir, a saber, *que hoy como ayer sigue estando en sintonía esa visión del mundo que no juzga o condena a cada persona según su culpa personal, sino que juzga de manera colectiva a toda una nación.* Sin embargo, toda persona en su sano juicio sabe perfectamente que un alemán decente en ningún caso es moralmente inferior a un austriaco decente y, del mismo modo, que un alemán que de algún modo es culpable en ningún caso lo es más que cualquier austriaco culpable. Por tanto, el mero hecho de pertenecer a una determinada nación no puede ser motivo de condena ni tampoco provocar que los eventuales actos criminales se juzguen de manera más estricta o benévola.

Tal y como pone de manifiesto una situación bastante habitual en nuestros días, a la hora de tratar estos problemas éticos, es muy importante no descuidar las más sencillas leyes de la lógica. Hay personas que afirman no haber sido nunca partidarios de la visión del mundo que estamos criticando ¡y pretenden probarlo aduciendo que han descubierto a una abuela «no aria» en su árbol genealógico! Si estas personas pensaran con un poco más de lógica, se darían cuenta al instante de que también ellas están dando pruebas de aquello que pretenden desmentir, a saber, el apego a esa *ideo-logía* que pretenden no haber profesado nunca. Y lo hacen en dos sentidos. En primer lugar, porque se trata exactamente del mismo modo de pensar del que en apariencia se desmarcan, ese que siempre afirmó que la conciencia de una persona, su ideología, dependía de su existencia biológica, es decir, de cosas como «la sangre y la tierra». Desde esta perspectiva, la personalidad humana no sería más que el producto de elementos raciales profundamente míticos que supuestamente la definen. Esa postura naturalista, que es una combinación de biologismo y colectivismo, trata de disuadirnos de la existencia de la libertad humana. Sin embargo, tal y como ya hemos observado en otras situaciones, esta libertad es esencial para el ser humano; ella es la que hace que el ser humano sea realmente tal, ella es la que lo convierte en un ser capaz de *desafiar* a los aparentemente todopoderosos condicionantes biológicos, sociológicos y psicológicos que a menudo amenazan con vencerlo. Pero en la conferencia de hoy nos hemos referido por primera vez, al hablar de la psicología del campo de concentración, a la capacidad del ser humano de «hacer las cosas de otro modo». Lo que esa visión mitológica del mundo decía sobre el ser humano conducía necesariamente a la construcción de una imagen distorsionada de la naturaleza humana. Pero ¿acaso no está totalmente en la lógica de esta imagen distorsionada el hecho de que alguien quiera persuadirnos de que no *podría* pensar de tal o cual manera por la existencia de la susodicha abuela?

El segundo motivo por el que la referencia a esa abuela vuelve a su nieto todavía más sospechoso de haber caído en el mito de la sangre es la moraleja que él extrae de esta «historia» familiar: solo a partir de este mito puede comprenderse que alguien presente como un mérito el hecho de tener esa abuela, justamente algo que antes había servido para culparle. En efecto, se trata de la misma visión del mundo, solo que con *un signo diferente*.

Además, la falta de lógica que acompaña a la supuesta ética habitual estos días va más allá: incluso las personas dispuestas a admitir su culpa señalan a menudo que ellas también son víctimas de aquellos aún más culpables que ellas y que, por eso, no se debería seguir hablando de su propia culpa. Es como si un gánster que demostrara que otro gánster, más poderoso que él o de otra banda diferente, le pegó una vez un tiro se acogiera a ello para no tener que responder por sus propios crímenes...

Volviendo al tema de la responsabilidad colectiva, tal vez sea conveniente preguntarse ahora acerca de cuáles son los daños que, con cierta legitimidad moral, deberían ser reparados *en primer lugar* desde el punto de vista de dicha responsabilidad. Esto nos enfrenta directamente con el problema de la rehabilitación de las «víctimas» o los damnificados supervivientes. Y aquí hay dos cosas que no debemos pasar por alto: en primer lugar, que de por sí esa rehabilitación solo puede ser sumamente parcial. Ni la vida de los familiares muertos ni los años perdidos son recuperables. Por eso, hay razones para afirmar que, de algún modo, la reparación y la rehabilitación de las víctimas solo sirven para que el Estado se rehabilite a sí mismo, a los ojos de todos los Estados de derecho y del mundo civilizado.

Lo segundo que no debemos olvidar es que, aunque los llamados perjudicados, las víctimas supervivientes, rara vez hacen valer su derecho moral (no nos referiremos aquí a la presentación de reclamaciones materiales), la opinión pública debería ser especialmente consciente de su deuda con estas personas. Pero si nos preguntamos *por qué motivos* esas víctimas —y especialmente aquellas que más sacrificaron— no suelen reclamar sus derechos, por qué sigue siendo poco común que aparezcan apelando a la conciencia de la gente, recordándoles su deber, por qué es tan fácil «reprimirlas» (en sentido psicoanalítico) en su papel de voz de la conciencia pública, estas preguntas nos remiten de nuevo a la psicología del prisionero liberado.

Para poder comprender este último capítulo sobre la psicología deberían haber estado ustedes conmigo el año pasado, tras la liberación del campo de concentración de Türkheim, aquella tarde de primavera en la que me dirigí solo durante la puesta de sol a un bosquecillo cercano al campo. En aquel lugar, siguiendo las instrucciones secretas de nuestro jefe en el campo (aquel hombre de las

SS del que hablé en mi primera conferencia, que había pagado de su propio bolsillo medicamentos para «sus» prisioneros), habían sido enterrados los compañeros muertos en el campo, y, desobedeciendo las órdenes recibidas, bajo los trozos de corteza arrancados de los esbeltos troncos de los abetos que había detrás de las fosas comunes, se había grabado discretamente con tinta los nombres de los muertos. Si hubieran estado entonces conmigo, ustedes se habrían jurado, como yo, velar para que nuestra supervivencia sirviera para pagar la culpa de todos nosotros —sí, ¡de todos nosotros!—. Porque los que sobrevivimos sabíamos muy bien que los mejores de entre nosotros nunca salieron de allí: ¡los *mejores* eran los que no regresaron! Sentíamos que no merecíamos haber sobrevivido y pensábamos que les debíamos a los compañeros muertos hacernos merecedores de ese don y volvernos de algún modo dignos de él. Pagar esa culpa solo parecía posible sacudiendo y manteniendo despiertas nuestras conciencias y las de los demás.

Pero lo que vino después de este sufrimiento, lo que le esperaba a los presos liberados al llegar a casa, hizo que estos se olvidaran muchas veces de su promesa. Porque podía ocurrir que el liberado, el repatriado, encontrara en casa aquello que había anhelado y que le había mantenido en pie en el campo (la persona a la que tanto añoraba, por ejemplo, aquella por la que creía que iba a morir de nostalgia)... Pero ahora era *demasiado feliz* y agradecía demasiado su felicidad como para poder hacer algo más que aquello que se había propuesto en el campo: *encerrarse entre sus cuatro paredes para no saber nada del mundo exterior.* O también podía suceder que el retornado se sintiera profundamente decepcionado por su destino, que la decepción que sentía por parte de los otros perdiera su importancia. Las represalias o la venganza eran cosas que una persona así había dejado atrás hacía mucho tiempo. Si aquel era demasiado feliz para pensar en algo así, *este era demasiado desgraciado,* tanto que a veces puede oírse de boca de uno de estos hombres expresiones que dejan ver que echa de menos la vida en el campo y que recuerda con nostalgia el tiempo en el que, al menos, podía tener una esperanza, por pequeña que fuera, de volver a ser feliz algún día; la más mínima probabilidad de *poder ser* feliz es mucho más para las personas que la seguridad absoluta de no *serlo*.

Pero hay dos cosas que vencen finalmente a la nostalgia de los decepcionados, dos cosas que acompañan en su nueva vida a todo antiguo prisionero de un campo de concentración: la *humildad* y el *coraje*. Ha aprendido a ser humilde, incluso frente al destino que lo decepciona. Solo que su modestia y su humildad son demasiado profundas como para que resulten visibles. Sin embargo, hay momentos en su vida —y estos son los decisivos— en los que mantiene lo que se juró a sí mismo: bendecir el más pequeño pedazo de pan, el hecho de poder dormir en una cama, el no tener que levantarse para formar o no tener que vivir en continuo peligro de muerte. Todo le parece relativo, también cualquier desgracia. Él, que, como dijimos no tenía ningún valor, siente literalmente que ha nacido de nuevo, pero no como el que era antes, sino como alguien más cercano a su esencia. En la primera conferencia ya hice referencia a que todo lo impersonal en él se había «diluido». Tampoco queda mucho de su ambición; si acaso puede que haya resistido la ambición por cumplir con su tarea, una forma más elevada (la esencial) de la avaricia, del impulso de autorrealización.

En cuanto al coraje que el recluso saca de su vida anterior, es ese sentimiento vital que prevalece en todos: la sensación de que ya no deben temer a nada, de que ya no *pueden* temer a nada, excepto a Dios. Ustedes pensarán ahora que en este punto se separan los caminos, las personas creyentes de las no creyentes. Pero si han pasado ustedes alguna vez ese cruce de caminos, tal vez vean las cosas de un modo diferente, tal vez las vean así: la disyuntiva «nada» o «Dios», de la que ya hablamos anteriormente, no es realmente una disyuntiva tal y como puede parecer a primera vista. Porque Dios es todo *y* nada: porque «todo» —si lo entendemos tal como parece decantarse en el concepto— se disuelve en la nada; y la «nada», entendida correctamente, como lo que en definitiva es: lo in-comprensible, lo in-decible, nos lo dice todo...

Como podrán apreciar, hemos llegado al mismo tiempo al final del tema y al límite de nuestra charla. Ya no hay discursos ni conferencias que puedan ayudarnos; en este punto solo nos queda una cosa: actuar, y hacerlo día a día. Y el hecho de que yo mismo me viera obligado (¿o quizá debería decir «me fuera *concedido*»?) a *vivir* lo que he contado es lo único que me otorga el derecho, o más bien la obligación, de dar una conferencia sobre esas vivencias.

Hemos hablado de la vida diaria, incluso hemos utilizado la expresión «metafísica de la vida cotidiana». Espero que hayan entendido bien la expresión: no se trata solo de hacer que el día a día —que aparentemente es gris, banal y trivial— sea, por así decirlo, transparente, de hacer que a través de nosotros pueda mirarse lo eterno, se trata, en última instancia, de mostrar que lo eterno remite a lo temporal —a lo temporal y lo cotidiano, como al lugar de un encuentro constante de lo finito con lo infinito—. Lo que creamos, experimentemos y suframos en un instante determinado lo creamos, experimentamos y sufrimos al mismo tiempo para toda la eternidad. En la medida en que somos responsables de lo que ocurre, en la medida en que esto es historia, nuestra responsabilidad estará enormemente gravada por el hecho de que no se puede «hacer desaparecer» nada que no haya ocurrido antes. Y, al mismo tiempo, nuestra responsabilidad está llamada a hacer realidad lo que nunca ha existido, y a hacerlo en nuestro trabajo diario, en nuestro día a día. De este modo, el día a día se convierte en *la* realidad, y esa realidad en la posibilidad de *actuar*. Así que la metafísica de la vida cotidiana nos saca solo inicialmente de la cotidianeidad, pero después —¡conscientes de nuestra responsabilidad!— nos devuelve de nuevo a ella.

Lo que nos conduce y nos ayuda a seguir adelante en este camino, lo que nos guía y dirige es la alegría de cumplir con nuestra responsabilidad. Pero ¿qué alegría obtiene el hombre común de asumir su responsabilidad?

La responsabilidad es aquello a lo que nos sentimos «arrastrados» y aquello de lo que «huimos». Como muestra la sabiduría del lenguaje, en el ser humano hay fuerzas opuestas que le impiden asumir su responsabilidad. De hecho, hay algo de abismal en la responsabilidad: cuanto más larga y profundamente la observamos, más conscientes somos de ello, hasta que finalmente nos envuelve una especie de vértigo; si profundizamos en la esencia de la responsabilidad humana, nos estremecemos. ¡Hay algo terrible y a la vez maravilloso en la responsabilidad del ser humano!

Es *terrible* saber que en cada instante soy responsable de lo que vendrá después, que cada decisión, por grande o pequeña que sea, es una decisión «para toda la eternidad», que en cada instante hay una oportunidad, la oportunidad de ese momento, que puedo hacer realidad o perder. Cada instante encierra miles de posibilidades, y yo solo puedo hacer realidad una; y, haciéndolo, condeno al mismo tiempo a todas las demás, las condeno a no ser nunca, y esto también «para toda la eternidad».

En cambio, es *maravilloso* saber que el futuro, mi propio futuro y, con él, el de las cosas y las personas que me rodean, depende de algún modo —aunque solo sea mínimamente— de la decisión que tome en cada momento. Lo que llevo a cabo con ella, lo que «creo», tal y como decíamos, lo hago realidad y de esta manera lo preservo de la transitoriedad.

Pero, por lo general, las personas son demasiado perezosas para asumir sus responsabilidades. Y aquí es donde entra la educación para la responsabilidad. Ciertamente, se trata de una carga muy pesada; es difícil reconocerla y, aún más, aceptarla, decirle sí a ella y a la vida. Pero ha habido personas que, a pesar de todas las dificultades, dijeron sí. Y cuando los presos del campo de concentración de Buchenwald decían en su canción: «A pesar de todo, queremos decir sí a la vida», no solo lo estaban cantando, sino que muchas veces lo estaban cumpliendo, como también hicieron muchos prisioneros en otros campos. Y si ellos lo hicieron en condiciones indescriptibles, esas condiciones tanto externas como internas de las que tanto hemos hablado hoy, ¿no vamos a poder hacerlo hoy todos nosotros en condiciones incomparablemente más benévolas? Decir sí a la vida no solo tiene sentido en cualquier circunstancia —la propia vida lo tiene—, sino que también es posible en cualquier circunstancia.

Y este era el sentido último de estas conferencias: mostrarles a ustedes que ¡a pesar de las dificultades y de la muerte, a pesar de sufrir enfermedades físicas o mentales o las penalidades de un campo de concentración, a pesar de todo, el ser humano puede decirle sí a la vida!

Conferencia en la Universidad Popular de Ottakring (Viena)

¿Vivimos de forma provisional? No, estamos obligados a hacerlo
29 de abril de 1946

Hoy en día parece que todo fuera «provisional». Cuando se acuñan palabras tan sugerentes es porque tienen un significado sintomático: toda nuestra existencia parece haberse vuelto provisional o al menos dirigirse a una forma de existencia provisional.

Desde una perspectiva psicológica, esto supone un peligro. La persona que siente que su vida es provisional no la toma del todo en serio, con lo cual corre el peligro de vivir sin hacer realidad las oportunidades que se le ofrecen, sino perdiéndolas, pasándolas por alto. Siempre está esperando algo, sin poner de su parte para que ese algo llegue. Se vuelve fatalista. En lugar de vivir tomando conciencia de su responsabilidad, adopta la postura del *laissez aller* ante las cosas y del *laissez faire* ante los demás. Pasa de ser un sujeto humano a ser un objeto —un objeto de las circunstancias, de las condiciones, de la situación histórica actual, sin darse cuenta de que en la historia nunca hay nada hecho, sino que está todo por hacer—. Pasa por alto que las circunstancias dependen en gran medida *de él*, que pueden *modelarse* de manera creativa; olvida que él es también responsable de ellas.

El fatalismo del hombre corriente de hoy es injustificado, pero totalmente comprensible. Es la actitud pasiva de una generación cansada a la que se le pide, se le exige demasiado.

Esta generación ha vivido dos guerras mundiales con cambios «revolucionarios» de por medio, inflaciones, crisis económicas mundiales, paro, terror, épocas de preguerra, guerra y posguerra. Demasiado para una sola generación. ¡En qué debería creer aún para poder construir algo! Ya no cree en nada. Solo espera.

Antes de la guerra se decía: «¿Ponernos a hacer algo ahora, ahora que en cualquier momento puede estallar una guerra?». Durante la guerra se decía: «¿Qué podemos hacer ahora? Nada que no sea esperar a que acabe la guerra, esperar, y ya veremos». Y apenas terminó la guerra se decía de nuevo: «¿Y ahora deberíamos hacer algo, ahora que todo es provisional?».

Esta mentalidad fatalista, esa imposibilidad de cobrar ánimo, se intensifica hasta convertirse en un acto, en una modelación creativa del destino y una actitud activa. Pero esta actitud se vuelve más intensa debido a un fantasma que se levanta en el horizonte como una terrible amenaza: ¡la bomba atómica! Muchos piensan que si ahora estallara otra guerra mundial, sería el final del mundo. Y esas personas ya no se toman la vida en serio. Una atmósfera apocalíptica se apodera de ellas: la atmósfera del fin de milenio.

Como si dependiera de la bomba atómica y no de las personas. Como si lo que se hace con la energía atómica no dependiera de las personas. Claro que depende de ellas. Y ¡ay, si todas las personas cayeran en el fatalismo! Dado que, afortunadamente, esto no es algo que debamos temer, aún resulta más triste e innecesario que el individuo se deje arrastrar por la amenaza espectral de lo provisional.

Los periodos de transición son tiempos difíciles, tiempos de crisis. Pero estos tiempos de crisis, sus «contracciones», siempre dan paso al nacimiento de un tiempo nuevo. Cada persona debe cargar en esos momentos con una responsabilidad enormemente grande y pesada, y al mismo tiempo maravillosa: lo que resulte de este tiempo depende de cada individuo. De los jefes de Estado depende lo que suceda con la bomba atómica, que esta se convierta en una maldición o en una bendición para la humanidad; y de cada «pequeño» hombre, de cada «hombre de la calle» depende lo que sea de su vida y de la vida de su familia durante los próximos años y décadas. Cada piedra que se ponga hoy —literal y metafóricamente— permanecerá ahí durante las próximas décadas, y dependerá de cómo se ponga si la próxima generación podrá o no seguir construyendo sobre esos fundamentos. Esta es la magnífica responsabilidad de este tiempo, pues sabemos las muchas dificultades con las que cargamos y al mismo tiempo las muchas posibilidades que tenemos en nuestras manos.

«Quien tiene un porqué para vivir puede soportar casi cualquier cómo», dijo Nietzsche. La conciencia de nuestra responsabilidad, que abarca nuestra propia vida o la de una familia, una obra, una comunidad, un pueblo, un Estado, incluso la humanidad, este genuino sentido de la responsabilidad histórica permitirá al hombre de hoy soportar el «cómo» de sus arduas circunstancias vitales, modelarlas, superarlas. Cada persona está llamada a su lucha llena de tareas y responsabilidad. Por lo tanto, nadie tiene derecho a esperar «a que se aclare la situación» y a seguir viviendo solo de manera provisional. En el momento en que intentamos organizar esa situación provisional, esta deja de serlo. Sea esta provisionalidad mucha o poca, cada uno debe transformar su vida «provisional» en una definitiva. Nadie puede esperar. Todos tenemos que ponernos manos a la obra; todos debemos hacernos la pregunta que se hizo un sabio hace 1 600 años: «Si yo no lo hago, ¿quién lo hará? Y si no es ahora, ¿cuándo?».

En: Welt am Montag *11*

El valor de la vida y la dignidad humana
1946

Kant dijo una vez que cada cosa tiene su valor, pero que el hombre, en cambio, tiene su «dignidad». Cada vez más, sobre todo desde la época de Kant, la humanidad se ha desviado de esta moral, en apariencia eternamente válida y siempre efectiva. La utilidad del ser humano ocupó progresivamente el lugar de la dignidad. Cada vez más, el ser humano se veía como un medio para llegar a un fin. En el contexto de un capitalismo cada vez más desarrollado, el ser humano se fue «cosificando» más y más (por seguir con la antítesis de Kant «cosa-ser humano») y con ello des-dignificándose, en un proceso que, utilizando una conocida expresión del mundo del arte, condujo finalmente a esa nueva objetividad que ya hace tiempo que envejeció y tuvo que ceder el paso a una nueva humanidad. Con el capitalismo entró en juego un elemento más: *el culto a la economía.* Al fin y al cabo, para el capitalismo el ser humano no es más que un medio de producción. Se lo des-humaniza, se lo degrada hasta convertirlo en un «algo» que, como parte de una masa, debe servir a la producción. La pérdida del valor de la personalidad va acompañada de la *masificación del ser humano:* la formación de un proletariado (que debe entenderse también en un sentido psicológico).

Sin embargo, teoría y práctica, ideología y política, el concepto del ser y el concepto del valor se adaptan los unos a los otros. Esto nos permite entender que la negación de la *libertad metafísica* del ser humano vaya unida a la privación de su *libertad política.* Y así se entiende también que, en el ámbito filosófico, el sistema económico capitalista encuentre su equivalente en el naturalismo, desde cuya perspectiva el ser humano no es más que el producto de circunstancias muy diversas, determinado por su situación económica, somática o de cualquier otro tipo, pero nunca un ser dotado de libertad interior.

La concepción naturalista del mundo condujo del culto a la economía al *culto a lo biológico*. La vida, en sentido biológico, pasó a serlo todo, el propósito último de todo, un fin en sí mismo, el sentido de sí misma. El hecho de que precisamente a causa de ello la vida parecía no tener sentido es algo que no fue tenido en cuenta. Sin embargo, dado que, por las razones ya expuestas, habían aparecido la masificación y el pensamiento colectivista, lo biológico se extendió también a lo colectivo, y se produjo un cambio en el concepto de biología; a partir de entonces, el fundamento biológico, elevado a la categoría de principio supremo, se hizo extensible al conjunto de la nación. Lo que importaba ahora ya no era la vida sin más, sino la preservación de la raza. El que la «masa» genética y la herencia se convirtieran en el objetivo final de todas las aspiraciones humanas parece una ironía de la historia, pues el término «masa» remite tanto a la masificación como al culto a la biología (de la herencia). Y ahora entendemos también mejor el desarrollo ideológico que condujo del capitalismo al nazismo pasando por el fascismo y, con ello, al racismo, o —siguiendo a Grillparzer— el camino del ser humano «de la humanidad a la bestialidad, pasando por la nacionalidad».

¿Qué repercusiones ha tenido todo esto en la práctica? ¿A qué consecuencias prácticas debería conducir? Ya las hemos conocido y, tras el intento analítico de dejar al descubierto sus raíces, vamos ahora a pasarles revista rápidamente. ¿Qué pasó, por ejemplo, con la dignidad de la maternidad? A las madres se les robó su dignidad, convirtiéndolas en *máquinas reproductoras* —máquinas reproductoras al servicio de una *maquinaria de guerra* derrochadora y programada—. ¿O qué valor tendría, desde una perspectiva exclusivamente biológica, la vida de los enfermos mentales incurables, de las personas con achaques o simplemente de las personas mayores? Esta vida «no era digna de ser vivida». El exterminio de estas personas no era más que una consecuencia de un biologismo consecuente. ¿A quién le importaba ahora que *los médicos se convirtieran en jueces* capaces de juzgar sobre la existencia o la no existencia de otras personas, o aún en algo mucho peor, no solo en jueces, sino también en *verdugos*...?

Este no es el lugar adecuado para demostrar que lo que se hizo pasar por una muerte digna organizada debería ser considerado una matanza sin escrúpulos. Para un médico consciente de su responsabilidad solo existía una alternativa: él, al que hacía tiempo que el orden capitalista había convertido en muchos casos en peón de una medicina cuyos intereses eran ajenos a su condición, tenía que ser ahora el *ayudante del verdugo* o el *saboteador* de su trabajo. Todos nosotros seguimos recordando aquellos tiempos amargos en los que el menor de los males era verse obligado a escribir diariamente informes falsos para salvar vidas enfermas. La explotación del «valor» de esas personas a las que se había despojado de su dignidad no cesaba ni siquiera con los «condenados a muerte»; incluso ellos fueron explotados: los campos de exterminio estaban precedidos por campos de trabajo. No es necesario decir, sin embargo, que en ambos tipos de campos se abusó de manera similar de los presos, utilizándolos como conejillos de Indias para experimentos. Soy consciente de que la opinión pública sigue dudando todavía hoy de la cruda verdad que muestran los informes; incluso yo habría dudado si no me hubiera encontrado un día en el campo de concentración con un compañero que, al tener que improvisar yo su examen médico, me enseñó las cicatrices que le habían quedado tras la castración a la que lo sometieron en Auschwitz, y me habló de otros experimentos que le habían dejado otras cicatrices. Unas cuantas decenas de mellizos, como mínimo, debían su vida a la furia experimental del jefe médico de las SS en Auschwitz: solo así lograron escapar a la tristemente célebre selección (selección de los capacitados para trabajar y traslado del resto a la cámara de gas).

La vida «indigna» de ser vivida y las personas que tan solo se consideraban «dignas» de la muerte tenían tan poco valor para el nazismo que ni siquiera merecían una bala, sino solo Cyclon B... Sin embargo, como es sabido, los cadáveres tenían una utilidad, pues proporcionaban pelo para los colchones y grasa para hacer jabón.

Creo firmemente que sería superficial y erróneo querer culpar a un pueblo o a un partido determinados de la enorme negación de la dignidad humana y el consecuente culto al valor de la vida. El requisito previo para prevenir que se repitan tales excesos en la historia es más bien que entendamos este peligro como un peligro que acecha *dentro del ser humano,* en todo momento, en cada persona de cada pueblo. Por lo tanto, el fascismo del pasado es una advertencia a toda la humanidad y esta advertencia, una exhortación a la política actual; y para esta política solo existe una esperanza: la democracia del futuro. Pues el sistema político antidemocrático que es el fascismo nos ha mostrado el abismo al que conduce esa selección negativa de los gánsteres de entre los gánsteres que va unida a una dictadura. Pero para que funcione un sistema democrático es necesario que exista un espíritu democrático, y la existencia de este depende a su vez de que las personas hayan sido educadas para ello. La *educación para la democracia* significa educación para la *responsabilidad personal.* Y la responsabilidad personal siempre es al mismo tiempo responsabilidad *social:* la persona responsable es a la vez responsable consigo misma y con su entorno —¡responsable ante los demás y por los demás!—. Esta persona no se prestará ni por sí misma ni por las demás a degradar al ser humano a un *ser que forma parte de una masa impersonal* o a una *criatura que vegeta sin sentido,* sino que se sabrá a sí misma *al servicio de una causa suprapersonal, y sabrá que la dignidad de su existencia personal proviene de este servicio.* Pero, en su lucha contra el culto fascista a la economía, tendrá que guardarse de caer en los mismos errores, y de igual manera, en la lucha contra el culto del fascismo a lo colectivo, tendrá que cuidarse de no utilizar el mal para expulsar el mal, de modo que la democracia del futuro no termine en el colectivismo de partidos, sino en la comunidad de todas las naciones del mundo.

En: Catálogo de la exposición «Niemals vergessen! Ein Buch der Anklage, Mahnung und Verpflichtung», *Viena, Jugend und Volk, 1946, pp. 51-53*

El análisis existencial y los problemas de nuestro tiempo

28 de diciembre de 1946

Dedicado a mi amigo Hubert Gsur

El comienzo de la Edad Moderna trajo consigo el nacimiento de la ciencia y de su aplicación práctica, la técnica, que en el siglo XIX llegó a su madurez. Ahora debemos asumir el legado del siglo XIX: la evolución de la ciencia condujo al naturalismo y la técnica a una actitud utilitarista. El ser humano llevaba ambas cosas en sus venas, se las habían inculcado, se habían convertido para él en una evidencia —una evidencia que dificultó notablemente su comprensión del mundo y de sí mismo—. Aunque el ser humano se considera ahora un ser natural, de acuerdo con el enfoque naturalista, al mismo tiempo entiende el mundo como un mero medio para un fin, en consonancia con el enfoque técnico-utilitarista. De modo que somete al mundo mediante la tecnología, pero, mientras lo «sujeta», el ser humano se convierte a sí mismo en «objeto». Nos encontramos así con la paradoja de que el ser humano se desnaturaliza al «naturalizarse», y al verse como un ser puramente natural, pasa por alto su auténtica y verdadera naturaleza. Mientras tanto, por otra parte, al degradar el mundo a mero instrumento técnico, el ser humano acaba pasando por alto sus fines posibles y necesarios. No podemos extrañarnos, pues, del giro que tiene lugar en nuestro siglo: la reflexión sobre lo inmediato. Y todo esto se produce necesariamente en un doble sentido: la reflexión sobre el propio ser (la reacción ante la pérdida de conciencia de su ser) y el retorno al sentido verdadero (la reacción ante la pérdida de conciencia de la finalidad de toda técnica). ¿Acaso no son estas preguntas existenciales, si lo que se cuestionan no es otra cosa que la existencia y el sentido?

Kierkegaard fue el primero en plantear la cuestión existencial en su versión «moderna», como el «problema del hombre moderno». Lo que él pretendía en el siglo XIX se hizo posible y se llevó a cabo en el siglo XX: la filosofía de la vida de Bergson y la fenomenología de Husserl y de su discípulo Scheler prepararon el camino e hicieron posible la aparición del existencialismo.

La filosofía existencialista fue desarrollada por Heidegger y Jaspers tras la Primera Guerra Mundial. La Segunda Guerra Mundial se encargó de impulsar su divulgación, actualizar su planteamiento y, aparte de esto, radicalizarla en extremo. Cuando nos preguntamos por qué ocurrió todo esto, debemos tener presente que la Segunda Guerra Mundial siempre significó algo más que la mera experiencia del frente: para el «interior» (que ahora ya no existía) supuso la experiencia de los refugios antiaéreos y de los campos de concentración. Ya hacía mucho tiempo que el pensamiento se hallaba lejos de ser fiel al postulado kantiano de que todas las cosas tienen un valor, pero solo el ser humano tiene dignidad. Pues el sistema económico capitalista degradaba por naturaleza al ser humano, a las personas trabajadoras, convirtiéndolas en una pieza más de la maquinaria del proceso de producción. Sin embargo, esto todavía estaba muy lejos del triunfo del utilitarismo del que hablamos anteriormente, ya que, por el momento, solo el trabajo de las personas se había convertido en un medio. En cambio, la guerra hizo que toda su vida se convirtiera en un medio sin fin; la guerra degradó al ser humano aún más: lo convirtió en carne de cañón. Los campos de concentración supusieron la culminación absoluta de este creciente proceso de degradación, pues, en ellos, no solo la fuerza de trabajo y la vida, sino también la muerte eran un simple medio. En los campos el ser humano no era más que un conejillo de Indias. Y en este proceso de degradación puede apreciarse un claro progreso, un progreso técnico. Incluso podemos preguntarnos si existe otro tipo de progreso o si todo progreso es solo técnico y se nos impone como tal tan solo porque vivimos en una era tecnológica.

¿Qué sentido tiene, pues, la cuestión existencialista? Al plantearse el problema existencial, la persona se cuestiona a sí misma. El existencialismo es el cuestionamiento del ser humano. ¿Hasta qué punto podemos afirmar que este cuestionamiento ha llegado en los últimos años más lejos que nunca? Durante este tiempo, todo se había vuelto absolutamente cuestionable: el dinero, el poder, la fama, la felicidad, todo se había desvanecido. Y al mismo tiempo el ser humano se había fundido en uno, había ardido de dolor, se había abrasado de sufrimiento; se había fundido con su ser. Lo que se había desvanecido era todo aquello que se puede tener: dinero, poder, fama, felicidad; pero, más allá de todo lo que tiene, el ser humano «es». Lo que permaneció, pues, fue el propio ser humano, lo que en él hay de humano. De modo que este tiempo condujo a una revelación de lo humano. En el infierno de las batallas, en los búnkeres antiaéreos y en los campos de concentración el hombre entendió la verdad: lo decisivo es siempre el ser humano. Pero ¿qué es el ser humano? Es el ser que siempre decide. Decide continuamente lo que es y lo que será en el próximo instante. Puede convertirse en ángel o en demonio. Porque el ser humano, tal y como nosotros lo hemos conocido —y es posible que nosotros lo hayamos conocido como ninguna otra generación lo había hecho—, es la criatura que inventó las cámaras de gas, pero, al mismo tiempo, es el ser que entró en las cámaras de gas, firme, cantando *La Marsellesa,* o con una oración en los labios.

Pero si aceptamos que el ser humano es una criatura que decide sobre sí misma, entonces este comienza exactamente allí donde el naturalismo dice que termina. Tomemos como ejemplo el biologismo, un tipo de naturalismo; este dice de un ser humano que es un «típico» pícnico, un «típico» asténico o un «típico» atlético, y en cualquiera de estos casos tiene que ser como es, no puede ser de otro modo. O veamos el ejemplo del sociologismo: según este, un ser humano es el típico capitalista, el típico proletario o el típico burgués, y en todos los casos, dependiendo de cuál sea su naturaleza sociológica, tendrá una mentalidad concreta y predeterminada, y parece impensable que pueda escapar de esta determinación impuesta por el tipo al que pertenece. O consideremos por último esa amalgama de biologismo y sociologismo, ese, por así decirlo, biologismo «colectivo» que se observa en el racismo y según el cual soy un «tipo nórdico productivo», un «tipo mediterráneo imaginativo» o un «tipo espiritual del desierto». En cualquier caso, me encuentro atrapado y encadenado por este tipo y estoy en todo caso fatalmente determinado, hasta en la última decisión ideológica, por el tipo al que pertenezco.

Sin embargo, no es cierto que el ser humano solo pueda ser un «típico...» y nada más. Conocí al jefe de un campo de concentración, un miembro de las SS, que no era en absoluto un «típico hombre de las SS», sino alguien que con su propio dinero compraba en secreto medicamentos para los presos. En el mismo campo, por otra parte, conocí al capo, él mismo un prisionero, que molía a palos a los otros presos. Y conocí, por último, a un alto funcionario de la Gestapo que, sumamente conmovido, hablaba por las noches a su familia de la deportación, mientras su esposa se deshacía en lágrimas. Este hombre suplicó a algunos judíos con los que tenía trato que hablaran siempre mal de él, porque tan pronto como dejaran de hacerlo, sospecharían de él, le quitarían su cargo y, con ello, la oportunidad de ayudar a mitigar el sufrimiento donde le fuera posible. Todas estas personas podrían haber sido representantes «típicas» de su «raza» o de su función social; pero no lo hicieron, sino que decidieron ser «atípicas». Por eso, podemos decir que no existe ningún tipo que determine de manera terminante el comportamiento de las personas. Y por lo mismo podemos afirmar que las razas no existen, o que solo existen dos «razas»: la de las personas decentes y la de las indecentes. Esta diferenciación atraviesa todos los tipos biológicos, psicológicos y sociológicos. Y lo deseable sería que la humanidad llegara a ser consciente del vínculo existente entre todas las personas decentes, más allá de todas las razas y tipos; y que así como una vez el mundo recibió el monoteísmo (la doctrina de un único Dios) de parte del judaísmo, también llegara un día al mundo el monantropismo, la doctrina de *una única* humanidad.

Pero las personas decentes, como muy bien sabemos, son una minoría. Y quizá sean siempre esto, una minoría destinada al fracaso. Pero este pesimismo no debe volvernos fatalistas. Antes, el activismo estaba ligado al optimismo, a la fe en el progreso. Pero hoy en día parece que la fe en un progreso que se impone mecánicamente, en un perfeccionamiento automatizado, paraliza nuestra actividad y adormece nuestra conciencia. Hace tiempo que nos alejamos de esta creencia en el progreso; nos hemos vuelto pesimistas, porque sabemos de lo que es capaz el ser humano. Pero si antes decíamos habernos dado cuenta de que todo depende del ser humano, ahora debemos añadir que ¡todo depende de cada ser humano, de cada individuo! Justamente porque las personas verdaderamente humanas son una minoría, cada una de ellas es importante. Y dependerá de la determinación para luchar, de la particular capacidad de sacrificio de cada individuo, el que este no se convierta en cómplice de que vuelva a repetirse el sacrificio masivo de seres humanos. Así el individuo no temerá sacrificar su vida personal, pues ¿qué sería esa vida si tuviera un valor en sí misma y todo su valor no consistiera precisamente en que esta pudiera entregarse por otra cosa? Justamente en los campos de concentración despuntó esta trascendencia esencial de la vida, este apuntar «intencionalmente» más allá de sí misma. Porque aunque la mayoría se preguntaba si sobreviviría, pues de lo contrario todo el sufrimiento no tendría sentido, siempre había otros que se hacían una pregunta diferente: ¿tiene algún sentido este sufrimiento, esta muerte incluso?, porque si no, sobrevivir tampoco tendría sentido; pues una vida que depende de la suerte, del azar, de si uno se salva o no, una vida así no podría tener sentido ni ser digna de ser vivida, incluso aunque uno se salvara. Así que la aparente inutilidad del sufrimiento y el sacrificio en los campos de concentración evidenció la existencia de un sentido incondicionado que comprendía el sentido del sufrimiento, el sacrificio y la muerte.

Antes hablábamos de que todo dependía del individuo. Como tal, este evita cualquier organización. No obstante, hay pequeños puentes que van de unos a otros y estos son los puentes que sostienen y en los que se mueve el espíritu de la época, que es el espíritu del futuro. Y son también los puentes que nos han reunido aquí, procedentes de diversos países. Así es como, más allá de las fronteras, se reúnen seres humanos de cualquier lugar del mundo. Y lo único que nos quedaría desear es que el ser humano —si es cierto que hoy está «politizado»— no lo esté solo en el sentido de la política de partidos, sino que se «cosmopolitice». Y esto sería aún más importante en la medida en que, tal y como puede observarse por doquier, la humanidad se está retirando, por así decirlo, de la vida pública y política a la vida privada. La aversión hacia la política se apodera de las personas honradas que, por otro lado, ocultan su honradez en un círculo reducido. En un tiempo en el que la palabra «idealista» se ha convertido en un insulto, las personas tienden a encerrarse con su bondad en sus cuatro paredes. No debería extrañarnos, pues, encontrarnos con el tipo del joven traficante que comercia en el mercado negro sin ningún escrúpulo social para conseguir una mejor vida, no solo para él, sino también para los suyos. Pero la principal razón de la aversión a la política es que la política de partidos, estancada en el programa del partido y las tácticas de lucha política, se encuentra totalmente sujeta al utilitarismo, es decir, a la idea de que el fin justifica los medios, que se manifiesta tanto en el oportunismo de los líderes de los partidos como en el coyunturalismo de los miembros de estos partidos. Pero la aversión de muchas personas decentes a los mecanismos del partidismo político proviene de un hartazgo indescriptible de la propaganda. Los últimos años han desacreditado cualquier tipo de propaganda. Y ahora solo queda una cosa: ¡la propaganda del ejemplo!, que está en manos de los educadores. Y aún algo más: la propaganda del diálogo —del diálogo entre los seres humanos, *in camera caritatis*—, ya sea el diálogo entre los sacerdotes y los creyentes, ya sea —«en vista de la migración de la civilización occidental del pastor espiritual al psicoterapeuta» (Victor E. von Gebsattel)— entre el neurólogo y sus pacientes.

Al principio hablamos de la reflexión existencial del ser humano sobre su verdadero ser, en el sentido de una existencia libre, frente a la aparente dependencia absoluta del ser humano establecida por el naturalismo de las leyes biológicas, sociológicas y fisiológicas del «tipo» al que cada uno pertenece. Para continuar hablando sobre esta libertad esencial del ser humano, vamos a confrontar esta con su contraparte dialéctica, lo inevitable, entendiendo por ello aquello que se opone a mi libertad, tanto en el sentido de lo inevitable en mí como de lo inevitable en mi entorno. Esto último se refiere principalmente a las cosas materiales y a lo «material» en el sentido más amplio de la palabra, referido a lo «económico». Por lo tanto, estamos tratando aquí de la situación económica de la persona. Finalmente, entra en consideración su destino externo en el sentido de su situación social —tal y como lo concibe el sociologismo, como lo único que determina la existencia humana—. Nos encontramos así ante la teoría del materialismo histórico, según el cual las circunstancias materiales, es decir, económicas, así como su posición social, la «existencia» social de las personas, determinan clara e inequívocamente su conciencia. [...]

Pero no queremos ser injustos con el marxismo afirmando que, según él, las condiciones externas, económicas y sociales del ser humano determinan su conciencia de manera clara y unívoca. Quien diga esto no es un marxista original, sino un marxista vulgar. La doctrina marxista admite que la relación de dependencia entre la existencia social y la conciencia de las personas no se da solo en una dirección, sino que la conciencia repercute también en la existencia social. La idea de que la posición social determina claramente la conciencia de clase es, pues, solo una parte del pensamiento marxista. Cuando añadimos que la conciencia de clase influye también en la situación social y en el desarrollo político, esto sigue estando totalmente en la línea del pensamiento marxista. Pero si algún marxista afirmara que, en efecto, el ser humano depende inevitablemente, de manera clara e inequívoca, de la infraestructura socioeconómica, tan solo necesitaríamos preguntarle con qué derecho habla entonces de una «educación para la conciencia de clase». Pues la educación presupone siempre libertad, la libertad de cambiar, de reorientarse y «hacerse cargo» del destino de uno mismo y del destino social e histórico.[1] Como vemos, tanto desde el socialismo como desde el marxismo se reconoce la libertad, entendida esta como un medio para la lucha política. Pero si nos preguntamos si la libertad no se reconoce también de manera *implícita* en el objetivo político final del socialismo, pronto descubriremos que la libertad está claramente comprendida en ese estado ideal de una comunidad cuya construcción constituye el sentido de toda política socialista.

Sin duda, este concepto de comunidad está muy alejado de lo que podríamos denominar «zoología política». Quédense con el significado literal de estas palabras y enseguida entenderán lo que quieren expresar: ¡la imagen del ser humano como un mero animal político *(zoon politikon)*! La idea del ser humano como alguien cuyo estar en sociedad fuera propio de criaturas, de animales. Pero no es este el caso; al contrario, toda verdadera sociedad humana debe ser aceptada libremente: el ser humano no está sencillamente subordinado a la sociedad ni atrapado por ella, como un animal, sino que decide formar parte de ella. Y en esta decisión se encuentra el momento mismo de la libertad. Como vemos, existe una relación fundamental entre la libertad del individuo y la comunidad humana.

1. No estamos olvidando en absoluto el factor social. Ni siquiera en lo referido al origen de las neurosis obviamos los componentes sociales. Pero el psicoterapeuta como tal no puede hacer la revolución; en lo que sí puede influir es en la actitud del enfermo frente a su destino social; cambiar de actitud activará al paciente no solo a nivel personal, sino también político. *(N. del A.)*

Además, esta interpretación de la idea de comunidad humana como una comunidad basada en la libertad rehúye el totalitarismo de la «colectividad», que no hace referencia a una auténtica comunidad, sino a un mero colectivo. La vieja pregunta de si lo primero es el individuo o la comunidad es una cuestión realmente pueril y, si seguimos planteándonosla una y otra vez, tal vez sea porque la humanidad sigue estando en su pubertad. Pero nosotros somos de la opinión de que, aparte de la relación fundamental entre libertad y comunidad, existe una relación dialéctica auténtica entre el individuo y la comunidad. De tal manera que podríamos decir que solamente la comunidad garantiza el sentido de la individualidad de los individuos, pero también que solo la individualidad consciente garantiza a los individuos el sentido de comunidad. Esto y solo esto es lo que distingue la comunidad del mero colectivo o de la masa. Pues en un colectivo la persona no solo deja de ser un individuo, sino que deja de ser humana; como ser humano, desaparece en el colectivo, pues para él el ser humano solo tiene «sentido» como uno más entre muchos elementos productivos. A dónde nos conduce esto finalmente puede verse de manera clara en la eugenesia nazi, que consideraba que la vida no productiva era «indigna de ser vivida» y, como tal, debía ser aniquilada, mientras que no veía en absoluto todo lo verdaderamente humano que hay en los valores, todo aquello que, más allá de su productividad, hace a las personas valiosas y todo lo que vuelve humana su existencia.

En esta última parte de la conferencia hemos comprobado que el marxismo bien entendido también reconoce la libertad humana, no solo como un medio, sino también como objetivo final, o, dicho de otro modo, que el socialismo jamás puede renunciar a la libertad, ni como *socialismus militans*, ni como *socialismus triumphans.* Y así, en el curso del análisis del problema del materialismo histórico, hemos contribuido a completar el giro hacia un socialismo personal mediante la revelación de la libertad.

Llegados a este punto, ya no debemos confrontar la libertad humana con lo inevitable «de nuestro entorno», sino con lo (aparentemente) inevitable dentro de nosotros mismos. El destino interior se halla representado especialmente por eso que llamamos comúnmente predisposición. Después de haber abordado el sociologismo de manera crítica, nos encontramos ahora inmersos en la crítica del biologismo, ya que las predisposiciones del ser humano representan sus características biológicas, tanto en el sentido de las características «heredadas» de la familia como en el de las características nacionales o las inclinaciones caracterológicas. En relación con esto, debemos subrayar desde un comienzo que las predisposiciones humanas son inevitables y, por consiguiente, escapan a su libertad y a su responsabilidad, pero siguen teniendo un valor completamente neutral o ambivalente. Son meras potencialidades que solo se materializan a partir de una decisión personal. Y solo la materialización de las potencialidades internas dentro y a través del individuo hace de las predisposiciones, que inicialmente y por naturaleza tienen un valor neutral, algo valioso o indigno, una virtud o un vicio. Y con esto hemos llegado al meollo de la cuestión de la culpa colectiva. Pero en este punto debemos señalar que la «culpa colectiva» tiene tres sentidos diferentes, aunque actualmente casi nunca se utiliza el término en alguno de estos tres sentidos. Las únicas tres formas en las que la culpa o la responsabilidad pueden ser efectivamente colectivas son las siguientes:

1. La ***deuda*** *colectiva.* En primer lugar, la culpa colectiva puede significar y tener el sentido de hacer responsables a los miembros de un determinado colectivo en su totalidad, o sea, colectivamente, de las consecuencias de los crímenes cometidos por el colectivo como tal. El hecho de que pueda hablarse de deuda colectiva, incluso cuando el individuo no tiene ninguna responsabilidad personal, puede explicarse del siguiente modo: si me someto a una operación de apendicitis, de la que sin duda no se me puede hacer responsable, yo no tengo la culpa de estar enfermo de apendicitis, y, sin embargo, le deberé sus honorarios al doctor que me opere y tendré que hacerme responsable del pago. Del mismo modo es responsable todo un pueblo, así como cada uno de sus miembros, de que otras naciones tuvieran que liberarlo de la tiranía y el terror, de que otros pueblos amantes de la libertad tuvieran que sacrificar a sus jóvenes en los campos de batalla para liberar de su gobierno a todos estos individuos inocentes, puesto que ellos no fueron capaces de hacerlo y se sintieron impotentes, tal y como ellos mismos repiten una y otra vez. Y también yo, aunque personalmente no sea culpable de los crímenes cometidos en el mundo por la nación a la que pertenezco, soy responsable de las consecuencias de estos crímenes.

2. *La culpa por formar parte de un colectivo*. Si me adhiero a un colectivo, por ejemplo, a un partido, hasta cierto punto soy personalmente culpable, me vuelvo cómplice de los crímenes cometidos de acuerdo con el programa de ese partido. Pero, en primer lugar, uno no se adhiere a una nación..., por lo tanto, de ningún modo se le puede hacer responsable de pertenecer casualmente a una nación que, por ejemplo, haya declarado una guerra criminal. En segundo lugar, aunque me haya afiliado a un partido y, por lo tanto, sea también en parte responsable de los crímenes cometidos por este partido, sigue estando en duda si, y en qué medida, puedo probar que lo hice bajo presión, si esta adhesión de la que se me considera responsable no fue en mayor o menor grado forzada, involuntaria y, por consiguiente, algo que excedía a mi libertad y mi responsabilidad. Probablemente no es fácil decidir sobre esta delicada pregunta en un caso particular. Pero, en cualquier caso, solo alguien que pueda demostrar que él mismo se resistió a la presión y las coerciones puede arrogarse el derecho de juzgar a los demás y echarles en cara que ellos no hicieran lo mismo. *Solo alguien que prefirió entrar en un campo de concentración antes que ceder a las presiones tendría derecho a acusar a aquellos que se sometieron.* Resulta muy fácil para alguien que no haya estado en la misma situación que la persona inculpada, alguien que, por ejemplo, estuviera seguro en el extranjero, exigir a otros que sean héroes o incluso mártires, o acusarlos de ser débiles y cobardes.

3. *La* ***responsabilidad*** *colectiva.* Por último, y esto da lugar a malentendidos, la culpa colectiva puede entenderse también como responsabilidad colectiva, según la cual cada individuo es, de alguna manera, responsable de los demás. «Uno para todos», como suele decirse, a lo cual deberíamos agregar: «¡y todos para uno!». Si es cierto que todos somos corresponsables de todos, entonces *cualquiera* lo es de todos. Y aquí resulta sumamente inapropiado ese fariseísmo por el cual una nación se considera más importante que las otras. Admitámoslo: cada ser humano, cada individuo, al igual que cada pueblo, *está* absolutamente *acompañado* por el mal. Y este acompañamiento es realmente, por expresarlo en términos musicales, un acompañamiento «obligado»: el mal es omnipresente. Y del mismo modo que hemos visto durante los últimos años lo que los seres humanos son capaces de hacer, hemos aprendido también que todo individuo es capaz de hacerlo. Es cierto que el mal no llega a hacerse realidad en todas las personas, pero se encuentra dentro de cada uno de nosotros, al menos como posibilidad, y así, como posibilidad, el mal estaba y sigue estando en todos nosotros. No vayamos a pensar que el demonio se ha adueñado de una nación o ha monopolizado este o aquel partido. Y se equivoca también aquel que piensa que fue el nazismo el que creó el mal: esto sería sobrevalorar el nazismo, porque este nunca fue creativo, ni siquiera para lo malo. El nacionalsocialismo no creó el mal, solo lo fomentó, probablemente como ningún otro sistema lo había hecho hasta entonces, a través de la selección negativa y del «potencial propagador del mal» de su pésimo ejemplo.

Pero ¿debemos invertir ahora los papeles? ¿Vamos a hacer lo mismo, vamos a cambiar del marrón al negro o al rojo? ¿Vamos a seguir haciendo siempre lo mismo, con otros símbolos, pero siempre lo mismo? Una vez le preguntaron a un joven conocido si quería tomar un copa, a lo que él, que no dominaba muy bien la lengua contestó: «No, gracias, soy un antisemita con el alcohol». Esto recuerda a algunos otros «ismos» actuales: uno ya no es un antisemita en el sentido original, ya no es antisemita con los semitas, pero, en vez de ello, es antisemita con alguna otra cosa. Se quiere luchar contra el sistema con los mismos medios del sistema contra el que supuestamente se está luchando, lo cual da lugar a una contradicción interna muy parecida a la que supondría una «asociación de enemigos del asociacionismo». Y si antes dijimos que solo cambiaban los símbolos, ahora bien podríamos decir que el prefijo sigue siendo el mismo: «anti». Y con este prefijo se crean nuevas consignas. Pero ya no necesitamos más consignas, pues ahora ya no solo hemos visto cómo estas pueden derrumbar a una persona; hemos visto más: hemos visto cómo las consignas han derrumbado a todo un pueblo.

Lo que necesitamos ahora es romper la cadena del mal, dejar de seguir pagando con la misma moneda, de devolver mal por mal, y aprovechar esta oportunidad única de vencer el mal no perpetuándolo, no aferrándonos al «ojo por ojo, diente por diente». Pues, si alguien quisiera utilizar estas palabras para traer el Antiguo Testamento al debate, nosotros también podríamos responderle con otra parte del mismo libro que apoya nuestra opinión: la historia de Caín. Es verdad que la mayoría de las personas, si se les pregunta por el sentido del estigma de Caín, piensan que Dios quiso estigmatizar a Caín para que los demás lo reconocieran como al primer asesino. Nada más lejos de la realidad. Si seguimos leyendo, descubrimos que cuando Dios impuso a Caín su castigo, este observó que, ahora que estaba desterrado, lo matarían; y para evitarlo, Dios puso en su frente la marca de Caín, precisamente para que las personas no le causaran más daños, para que no siguieran matando, para que no respondieran a un asesinato con otro asesinato. Y efectivamente, tal como dicen los textos, el asesinato de Caín debería ser castigado más duramente que el asesinato de Abel por parte de Caín. Esta era la intención del estigma de Caín, y solo así fue posible no perpetuar el fratricidio.

Volviendo a la pregunta inicial sobre si realmente existe, y hasta qué punto, algo parecido a una «responsabilidad» colectiva (ya que en ningún caso podemos hablar de «culpa»), teniendo en cuenta todo lo dicho hasta ahora, podríamos decir que, si existe, esta solo puede ser una responsabilidad planetaria.

Una mano no debería sentirse orgullosa por no ser ella, sino la otra, la que está infectada por una úlcera, porque la infección afecta siempre a todo el organismo. Y por eso, una nación no debería alegrarse por no haber sido ella, sino la alemana, la que sucumbió al nazismo, puesto que no fue solo una nación la que enfermó, sino toda la humanidad.

Como vemos, el análisis crítico de la problemática de la culpa colectiva nos lleva de esta a la idea de una responsabilidad planetaria.

Pero mi herencia, mi parte biológica, no es lo único que conforma mi destino interior, como algo con lo que tiene que arreglárselas mi libertad. Además de lo sociológico y lo biológico, también lo psicológico está relacionado con el destino. Y el destino psicológico que hay en mí es el «ello» de Freud, pues el «ello» es lo que se opone esencialmente al yo y a su libertad; el ello «impulsa», pero ¿a quién impulsa? Estamos preguntando aquí por el objeto en sentido gramatical. Y la respuesta del psicoanálisis es: el ello impulsa al yo. Y de este modo el yo se vuelve también objeto en sentido psicológico, y lo hace hasta tal punto que, desde la perspectiva psicoanalítica, su carácter de sujeto parece haber desaparecido. Finalmente, llega a interpretarse que también el yo está constituido por pulsiones (pulsiones del yo). A la concepción psicoanalítica del ser humano como un ser que se mueve por impulsos contraponemos la idea de Jaspers del ser humano como un ser que decide, un ser que no solo es, sino que decide lo que es. Nosotros hablamos de la existencia humana como una existencia responsable, basada precisamente en la libertad como elemento sustancial del ser humano.

La relación entre la libertad y la responsabilidad se manifiesta en el hecho de que la libertad no significa solo ser libre «de», sino también ser libre «para», y la asunción de responsabilidad es justamente aquello «para lo que» el ser humano es libre. Por este motivo, oponemos al psicoanálisis de Freud un análisis de la existencia humana como existencia responsable. Esta «forma de ser» *(Seinsweise)* del ser humano, que encuentra su razón última en el fenómeno de la responsabilidad, recibe el nombre de existencia. De ello se deduce que el psicoanálisis debe ser un análisis existencial en el sentido de un análisis de la existencia humana más allá de las pulsiones. Alguien podría objetar que no es posible analizar la existencia, sino como mucho «dilucidarla». Pero hace tiempo que no entendemos el análisis en el sentido de la concepción atomista de Freud, sino en el sentido de explicitar aquello que ya está implícito en la naturaleza de la existencia.

Sin embargo, la libertad que el análisis existencial entiende y presenta como base de la responsabilidad esencial del ser humano incluso en el caso de los caracteres neuróticos es una libertad integral: aun cuando actúo por impulso, sigue estando de algún modo allí, porque yo mismo soy el que se deja llevar. Incluso la renuncia a la libertad y a hacer uso de ella es un acto libre. La renuncia del «yo» ante el «ello» es un acto voluntario. De esto se desprende que la libertad es capaz de oponerse a los «poderes demoniacos» supuestamente superiores de las pulsiones inconscientes y, por lo tanto, que toda pulsión se construye, se forma a partir del «yo». Por eso, cuando alguien pregunta cómo es posible que el «yo» pueda defenderse de los «demonios», está ignorando la naturaleza existencial de la libertad del «yo». Pero el psicologismo se caracteriza por proyectar los fenómenos espirituales desde su «dimensión» espiritual hasta la esfera de lo meramente psicológico. Y al proyectarlos, estos se vuelven ambiguos, y, al perder la referencia al contenido espiritual y referirse únicamente al acto mental, ya no es posible determinar si se corresponden con una producción cultural o con un síntoma psicológico. Del mismo modo que una figura circular sobre un plano puede ser tanto la proyección de un círculo bidimensional como la de un cilindro, una esfera o un cono tridimensionales, a nivel psicológico no puede constatarse diferencia alguna entre Dostoievski y cualquier otro enfermo de epilepsia. Por consiguiente, la proyección psicológica despoja a nuestro análisis de toda una dimensión, la de lo espiritual. La sola objetivación del ser humano ya hace que olvidemos la dimensión en la que este «es», pues, en el momento en que hacemos del yo un objeto, estamos obviando su verdadero carácter. Esta es también la contradicción interna del conductismo, que otorga a la conducta libre del ser humano la condición de cosa.

Cualquier objetivación del ser humano, no debemos olvidarlo, afecta únicamente al «ser-así» *(So -sein)*, pero no al «ser-ahí» *(Dasein)*. El *Dasein* nunca coincide con el *So -sein*, no es un simple «ser así», sino la posibilidad de transformarse en algo distinto. El *Dasein* se encuentra siempre más allá del *So -sein*, nunca se desarrolla por completo en su facticidad. Ser humano no significa ser fáctico, sino ser facultativo. Sin embargo, el psicoanálisis, desde su posición fundamentalmente psicologista y objetivante, pierde de vista la existencia, pues siempre apunta a lo psicológico en su facticidad y renuncia a ver lo que hay de existencial en su posibilidad. Con nuestro breve análisis hemos tratado de señalar el camino que, según nuestra idea del ser humano, nos permite ver su existencia como el modo de ser verdaderamente humano; en otras palabras, el camino que conduce del psicoanálisis al análisis existencial.[2]

El análisis existencial apunta por definición a la toma de conciencia de la responsabilidad. Ahora bien, el ser humano tiene responsabilidad en vista de su finitud y la finitud del ser humano se encuentra

2. [...] Muchos de los descubrimientos de Freud siguen estando vigentes. Este es el caso, por ejemplo, de la interpretación de los sueños; no obstante, no soy yo el que sueña, sino que es el «ello» el que me sueña. Y dentro de la dinámica del «ello», sigue siendo válida la teoría psicoanalítica. Por otra parte, cabe señalar que el efecto terapéutico dentro de la psicoterapia, dentro de la psiquiatría en general, está lejos de demostrar la exactitud de los supuestos teóricos. Es cierto que el psicoanálisis es efectivo, pero probablemente lo es porque, después de todo, contiene un llamamiento tácito al «yo» libre y responsable, que él también presupone. La terapia de choque con insulina como tratamiento de la esquizofrenia también parte de presupuestos teóricos insostenibles y, sin embargo, ha demostrado ser eficaz. *(N. del A.)*

principalmente en la temporalidad de su existencia y se presenta ante nosotros ante todo como mortalidad. Justamente la mortalidad es lo que da lugar a la responsabilidad del ser humano, pues si este fuera inmortal, tendría motivos para dejar pasar cualquier oportunidad de actuar, pues nada dependería de que hiciera algo en ese instante, sino que podría hacerlo igualmente en cualquier otro momento. Solo a la vista de la finitud temporal de nuestra existencia es posible apelar a que la responsabilidad humana alcance toda su plenitud, por ejemplo, mediante el siguiente imperativo categórico: «*¡Actúa como si vivieras por segunda vez y la primera lo hubieras hecho tan desacertadamente como estás a punto de hacerlo ahora!*».

Pero no se trata tanto de la muerte ni de lo que le espera al ser humano como de lo que este llega a hacer. Se trata de ser responsable a la vista de la transitoriedad, porque la transitoriedad no puede interponerse al deseo de ser responsable. Bien al contrario, lo único verdaderamente transitorio en la vida es la posibilidad de poner en práctica los valores. No obstante, cuando así lo hacemos, en realidad los estamos preservando ¡en la realidad del pasado! Pues, ateniéndonos al doble sentido que Hegel da a la palabra *aufheben*, estos han sido practicados y a la vez salvaguardados en el pasado. Ser pasado es quizá la forma más segura de ser, pues lo que ya ha pasado ya no se puede borrar del mundo. Por lo tanto, ¿no es nuestra responsabilidad materializar esta posibilidad?

Nos hemos referido a la responsabilidad como el «para qué» de la libertad. Y ahora debemos preguntarnos por el «ante qué» de esta responsabilidad. Pero el análisis existencial no responde a esta pregunta. La pregunta permanece sin respuesta. El análisis existencial la deja abierta, al igual que deja abierta la puerta a la trascendencia, pues solo puede ser cosa de un análisis existencial, que es ante todo un método psicoterapéutico, amueblar, por así decirlo, la habitación de la inmanencia, y hacerlo, por supuesto, sin bloquear con ello la puerta a la trascendencia. En la trascendencia está lo absoluto. Y lo absoluto permanece en la trascendencia. Lo trascendente no se encuentra nunca en una dimensión en la que deba aventurarse el análisis existencial. Tal vez lo absoluto no esté en una dimensión, sino que sea el propio sistema de coordenadas... No obstante, aunque, ateniéndose a su misión, el análisis existencial no debería acometer lo absoluto, sí debería al menos asegurarse de que lo relativo permanezca relativizado. Pues es probable que una perspectiva puramente inmanente, que ni siquiera es consciente de su cercanía a lo trascendental, que toda perspectiva *puramente* inmanente sea en sí misma una perspectiva *distorsionada*. Y si una vez se acusó a la teología de ser antropomorfista, no nos gustaría que ahora se acusara a la antropología de teomorfista. Después de haber relativizado el destino en sentido biológico, psicológico y sociológico, no es nuestro deseo, con nuestra teoría del ser humano, poner su libertad absolutamente por encima de su destino. Como vemos, incluso después de haber alejado la amenaza del biologismo, del psicologismo y del socialismo, todavía seguimos amenazados por un último peligro: el peligro del antropocentrismo.

Por tanto, el análisis existencial no da respuesta a la última pregunta que nos hemos planteado; el lugar al que este puede llevar al ser humano no es una estación final, pero, al menos, desde ese lugar es posible conseguir «conexión directa» con lo trascendente, porque esta estación está situada «en el trayecto» hacia lo absoluto —el absoluto que solo llega a conocerse en la experiencia religiosa—.

Lo único que queremos demostrar con esto es que no existe ningún conflicto entre la experiencia y la actuación responsable de las personas no religiosas y de las religiosas; la experiencia religiosa, la dimensión religiosa tan solo puede ser algo complementario.[3] Esto puede verse claramente en la manera en que ambas, la persona reli-

3. Sería importante facilitar la relación entre las personas religiosas y las no religiosas subrayando lo complementario (en lugar de lo divergente). En términos prácticos, debe haber un denominador y una plataforma comunes; en el ámbito de la inmanencia, religiosos y no religiosos pueden llevar a cabo una acción conjunta. *(N. del A.)*

giosa y la no religiosa, experimentan su existencia: la una como un mero deber y, por lo tanto, como una llamada de su responsabilidad, y la otra, añadiendo de manera complementaria a su experiencia, contemplando además la instancia que establece ese deber, que ahora se entiende como una misión divina.

Después de todo, «en el ámbito de la inmanencia», que es en el que se mueve el análisis existencial, existe algo que podríamos definir como el caso límite del «ante qué» de la responsabilidad: la conciencia. La conciencia apunta más allá de sí misma y de la inmanencia. Podemos verlo con claridad si lo entendemos como una especie de instinto moral.

Si me planteo hacer bolsas de papel para empaquetar un producto, necesitaré para ello tan poca inteligencia que perfectamente podría encargarle el trabajo a uno de los idiotas[4] a los que trato en la clínica mental con ayuda de la terapia ocupacional. En cambio, si la tarea que me propongo es construir una máquina que realice automáticamente las bolsas de papel, necesitaré para ello un nivel de inteligencia sustancialmente superior. Algo similar ocurre con la llamada sabiduría de los instintos. Existe un tipo de escarabajo, cuyas hembras recortan pedazos de hojas de un modo preciso (según una curva «irracional», que causa quebraderos de cabeza incluso a los matemáticos), que luego enrollan en forma de bolsitas en las que depositan sus huevos. Ante un hecho así, deberíamos plantearnos que si todo lo que llega a producir un instinto tan «sabio» ya nos resulta asombroso, la sabiduría que ha creado ese instinto tiene que ser de un rango enormemente superior. Vemos, pues, que el instinto, también el instinto moral, la conciencia, apunta a una trascendencia que se encuentra más allá de sí mismo y de la inmanencia.

Aunque antes nos hemos referido a la persona religiosa como alguien que, de algún modo, experimenta más, ve más que la no

4. Término médico fuera de uso con el que se designaba en la época a los pacientes cuyas capacidades cognitivas estaban gravemente disminuidas.

religiosa, pues es capaz de ver a la instancia ordenante, esto no significa que la «superioridad» que otorga la experiencia religiosa frente a la no religiosa deba convertirse en arrogancia. Muy al contrario, la actitud de la persona religiosa hacia la no religiosa solo puede ser razonablemente una: la generosidad. Al fin y al cabo, la actitud natural de la persona que ve ante la que no ve no es el desprecio, sino la compasión y la disposición para ayudar.

Pero estamos hablando de la persona religiosa como si esta fuera la que ve, al contrario de la persona no religiosa; y, como podemos ver en el siguiente símil, esto es un error: si es cierto que las personas están en la vida como los actores en un escenario, entonces debemos recordar que los actores, deslumbrados por los focos, en lugar de ver la sala y a los espectadores, ven tan solo un gran agujero negro y no «ante quién» están actuando. ¿No le ocurre algo similar al ser humano? Deslumbrado por el «brillo» de la vida cotidiana, él tampoco ve «ante quién asume» la responsabilidad de su existencia (del mismo modo que un actor asume su papel). ¡No ve ante quién está actuando! Y, sin embargo, sigue habiendo personas que piensan que justo allí donde no vemos «nada», justo allí está sentado el gran espectador, que nos observa fijamente. Estas son las personas que nos gritan: «¡Cuidado, se ha levantado el telón!».

Conferencia en el marco del Encuentro Universitario Franco-Austriaco en St. Christoph am Arlberg

La cuestión de los prisioneros perseguidos por motivos raciales 1946

Viktor Frankl dio esta breve charla en 1946 para la KZ-Verband de Viena. La KZ-Verband, cuyo nombre completo es Asociación Austriaca de Resistentes y Víctimas del Fascismo, se fundó en 1945. Aunque originalmente fue concebida como una iniciativa independiente, desde un principio la asociación se ocupó principalmente de las víctimas del régimen nazi perseguidas por motivos políticos, pero no tanto de las que lo eran por motivos éticos y religiosos. Los conflictos políticos internos de la KZ-Verband se intensificaron a finales de la década de los cuarenta a causa de la escisión de la Camaradería de Perseguidos Políticos del social-cristiano Partido Popular Austriaco (ÖVP) y la Unión de Socialistas Combatientes por la Libertad y Víctimas del Fascismo, fundada por el Partido Socialista de Austria. En el momento en que Frankl dio esta conferencia no podía preverse que los conflictos políticos en el seno de la KZ-Verband llegaran a tener esa magnitud. Es más, todavía existía la esperanza de que la asociación cumpliera con la tarea para la que fue concebida originalmente: representar como asociación de víctimas universal e independiente los intereses de todos los exprisioneros de campos de concentración.

Frankl aborda en su conferencia la pregunta sobre la posición que debería adoptar la KZ-Verband respecto a las víctimas del nazismo que no fueron perseguidas por motivos políticos, sino raciales y étnicos.

Les hablo como particular, pero creo poder hablar en nombre de muchas otras personas. No nos subestimen. Si queremos colaborar con la KZ-Verband, no es por la compensación económica. No nos preocupa en absoluto poder beneficiarnos de ciertas ventajas materiales. Lo que nos interesa es la cooperación.

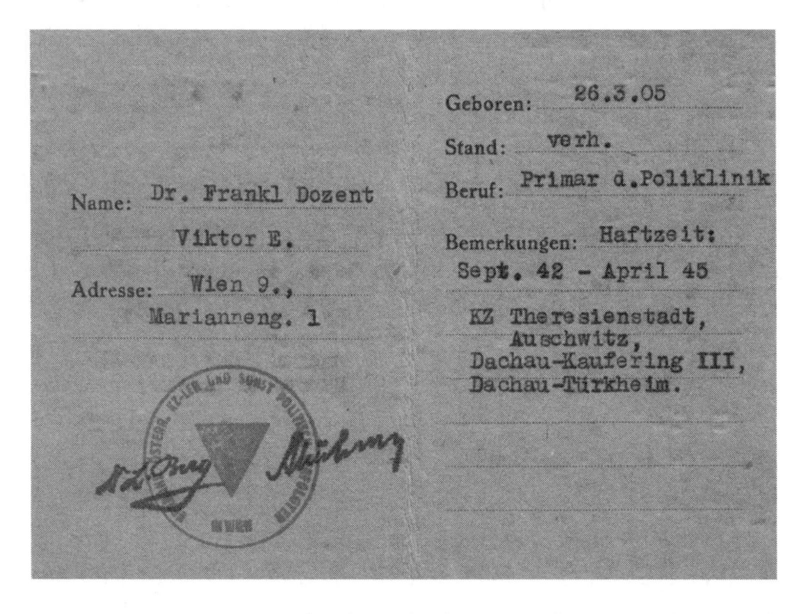
Name: Dr. Frankl Dozent
Viktor E.
Adresse: Wien 9.,
Mariannneng. 1

Geboren: 26.3.05
Stand: verh.
Beruf: Primar d.Poliklinik
Bemerkungen: Haftzeit:
Sept. 42 - April 45
KZ Theresienstadt,
Auschwitz,
Dachau-Kaufering III,
Dachau-Türkheim.

Documento que certifica el periodo y los campos de concentración en los que estuvo prisionero Viktor Frankl.

Cuántas veces nos dijimos, estando aún dentro del campo: «No hay felicidad en esta Tierra que pueda compensarnos por todo lo que estamos sufriendo». Cuántos compañeros de los principales campos de concentración han mirado con lástima a los presos de los pequeños campos de judíos. Pero nosotros no queremos su compasión, queremos cooperar con ellos.

¿Quién negaría que se nos deba equiparar a los combatientes políticos? Asimismo los compañeros perseguidos por motivos raciales deben ser considerados víctimas políticas. Ellos son, por así decirlo, los héroes y mártires pasivos de la política nazi. Quizá fueran pasivos, pero fueron objeto del terror más activo y víctimas de una política nazi que cumplió realmente con sus promesas.

Aquellos que sobrevivimos de entre estas víctimas no podemos vivirlo en absoluto como una satisfacción, sino como un compromiso. Debemos preguntarnos qué debemos a los compañeros y a los familiares de los que murieron asesinados y en las cámaras de gas.

No hay mayor solidaridad en la Tierra que la solidaridad del sufrimiento. Y lo que debemos hacer es forjar a partir de esta solidaridad del sufrimiento una solidaridad de la acción. Lo que queremos es que los compañeros de sufrimiento se conviertan en compañeros de lucha.

Muchos de nosotros, los pocos supervivientes de los campos, estamos llenos de decepción y rencor. Decepción, porque nuestra desgracia todavía no ha terminado, y rencor, porque la injusticia todavía perdura. Puesto que muchas veces no puede hacerse nada contra la desgracia que nos esperaba a nuestro regreso, con más motivo aún tenemos que actuar contra la injusticia y despertarnos del letargo al que la decepción y el rencor amenazan con arrojarnos.

Con frecuencia, parece que los prisioneros de los campos de concentración, que en alemán han sido etiquetados con la hermosa palabra de *KZler*, son vistos ya como figuras anacrónicas de la vida pública. Me explico: el prisionero de un campo de concentración es y seguirá siendo un tipo actual mientras siga existiendo en Austria un solo nazi, ya sea encubierto o, como vemos de nuevo, declarado. Somos la personificación de la mala conciencia de la sociedad.

Los neurólogos sabemos muy bien que el ser humano tiende a, como diría Freud, «reprimir» su mala conciencia. Pero nosotros no nos dejaremos reprimir. Construiremos una comunidad de lucha, una comunidad suprapartidaria con un enemigo común: el fascismo.

Conferencia

Por última vez: la ventana empañada
Abril-mayo de 1946

Frankl escribió el siguiente texto como contribución a un debate para la revista de literatura y cultura Plan, *cuyo editor era Otto Basil. Frankl hace referencia en él a dos artículos aparecidos en números anteriores de la revista: «La ventana empañada», de Hans Weigel («Das verhängte Fenster»,* Plan *1:5, 1946) y la réplica a Weigel de Otto Horn:*[1] *«Nuevamente "La ventana empañada"» («Nochmals "Das verhängte Fenster"»,* Plan *1:6, 1946). Para facilitar la comprensión del texto, reproducimos algunos de los fragmentos principales del artículo de Weigel y de la posterior crítica de Horn:*

> *Como «perseguido por motivos raciales» que tuvo que abandonar su país y su trabajo, y con un gran número de parientes muertos en Terezín, no soy nada sospechoso de querer disfrazar mediante tal comentario algún tipo de propaganda nazi. Sin embargo, precisamente a causa de esta ausencia de sospecha, siento la necesidad urgente de decir algo a favor de los alemanes. [...] Durante estos años los austriacos también han causado sufrimiento tanto a los alemanes como a los propios austriacos. [...] Y por eso, el adjetivo «alemán», que describe el idioma de Goethe y de Adalbert Stifter, no debería seguir teniendo entre nosotros la connotación de insulto. Lo nacional está agotado. Aquel que todavía rechaza a los alemanes en su conjunto recuerda funestamente a los que ayer estaban en contra de los «judíos», sin importarles de qué persona se tratara. [...] Se ha roto un*

1. Otto Horn (1905-1966), dirigente sindical, fue prisionero en el campo de concentración de Buchenwald de 1939 a 1945. Desde 1945, fue miembro del comité central del Partido Comunista de Austria.

> *matrimonio forzoso. Todo lo que acompañó a este matrimonio fue realmente lamentable. ¿Pero es eso motivo suficiente para comunicarse solo a través del abogado o mediante cartas certificadas? ¿Es que no es posible construir una relación nueva, distanciada pero honesta?* (Weigel, 1946)

En el siguiente número de la revista, Otto Horn replicó a Weigel con los siguientes argumentos, entre otros:

> *Aquel que [...] hoy, después de las experiencias tan amargas por las que tuvo que pasar el mundo entero, se posiciona en contra de los alemanes, sigue teniendo muy presente que este pueblo hizo posible la aparición de un movimiento político que pudo imponer su sello a casi toda una nación, un movimiento que, con mucho apoyo popular, en definitiva, permitió y provocó el asesinato de veintiséis millones de personas. Durante mucho tiempo, a los alemanes, más allá del círculo de los nazis en sentido estricto, les ha encantado ser una raza dominante, y serlo de una manera despiadada. [...] La [responsabilidad] es [...] del pueblo alemán en su conjunto, porque en gran medida apoyaron a Hitler —en Alemania el fascismo echó raíces mucho más profundas que entre nosotros y, de hecho, Austria es mucho menos culpable—, por eso, los alemanes todavía tendrán que trabajar mucho para limpiar sus conciencias.*
>
> *[...] No se trata [...] en absoluto de juzgar de manera despectiva a los demócratas y antifascistas honrados de Alemania (que, por cierto, no deben de ser todavía muy numerosos, tal y como indican ciertas noticias extrañas que nos llegan del país); pero particularmente en Austria, que debe su más terrible catástrofe al pangermanismo, la idea de la gran nación alemana, no se debería seguir hablando, tal y como hace Hans Weigel, de los «hermanos alemanes». [...] Y en ningún caso deberíamos calificar, tal y como hace Weigel, de «matrimonio», aunque sea «forzoso», la destrucción de la soberanía austriaca por parte de los alemanes; lo que sucedió con los alemanes durante*

> *los años de la ocupación no fue un matrimonio y, por lo tanto, no deberíamos darle ese nombre. (Horn, 1946)*

A raíz de las numerosas reacciones al artículo de Weigel, la redacción de Plan *había previsto originalmente dedicar gran parte del número 1:8 al tema de la relación entre Austria y Alemania, del que trataban ambos artículos. En vista de ello, Frankl redactó una réplica a Otto Horn en la que defendía el punto de vista de su amigo Hans Weigel. Pero, en contra del anuncio de la redacción, en los siguientes números de* Plan *no apareció ningún artículo que hiciera referencia a los artículos anteriores de Weigel y Horn. El siguiente texto es el artículo que Frankl envió a la redacción de* Plan. *La revista no llegó a publicarlo, pero probablemente Frankl lo presentó en un debate organizado por la redacción en junio de 1946.*

Cuando leí la réplica de Otto Horn, me vino a la memoria el siguiente chiste. Franz le dice a Karl: «Dime, ¿por qué Hans se escribe con *l*?». Karl le dice a Franz: «¿Desde cuándo Hans se escribe con *l*?». Franz a Karl: «¿Por qué Hans no se escribe con *l*?». Karl a Franz: «¿Pero por qué hay que escribir Hans con *l*?». Franz a Karl: «¡Pues eso es lo que te estaba preguntando *yo a ti*!».

Horn responde a Weigel, y en su réplica *él mismo* escribe que naturalmente no se debería «responsabilizar del nazismo al conjunto de los alemanes»; ¡al fin y al cabo, esto es lo que quería decir Weigel! Al menos esta es mi opinión.

Añadiré ahora algunas observaciones básicas partiendo de lo anterior. Podría enumerar la lista de los campos de concentración en los que estuve prisionero o de todos los familiares que murieron en ellos, pero no quiero hacerlo, como tampoco quiero detallar el listado de mis publicaciones más o menos científicas, ya que no me parece apropiado participar de esta manera de legitimarse tan común hoy en día. Estoy convencido de que los sufrimientos o los muertos que uno puede poner en un plato de la balanza no sirven de contrapeso a los argumentos *lógicos* que otro haya puesto en el otro. Y yo quiero apelar a la lógica y *nada más* que a la lógica. En su nombre, debo llamar al orden a los participantes en el debate, al orden, sí, a pensar ordenadamente.

Dice Horn que los miembros de la resistencia austriaca jamás odiaron ni consideraron a los antifascistas alemanes como enemigos; «no obstante, querer a los fascistas alemanes sería demasiado pedir». Pero yo pregunto: ¿por qué tenemos que hablar de los alemanes, por qué hay que hacer esa distinción, por qué «no dejamos de guiarnos por la geografía», como propone Weigel? Creo que Weigel está totalmente en lo cierto cuando escribe la siguiente frase, tan criticada por Horn: «Aquel que todavía rechaza a los alemanes en su conjunto recuerda funestamente a aquellos que ayer estaban en contra de los "judíos", sin importarles de qué persona se tratara». Pero aún más: lo que dice Horn en su réplica me recuerda no menos funestamente a aquello que dijo en otro momento sobre los «judíos decentes, que también los hay», pues el mismo Horn admite que también hay alemanes antifascistas, que serían, por así decir, alemanes «decentes». Sin embargo, le parece adecuado mantener sus «reservas». Estas reservas son, en mi opinión, una generalización éticamente insostenible, ¡la misma generalización que subyace a todo el antisemitismo nazi!

Cuando Weigel dice hablar solo a favor de los alemanes no nazis, esto no es solo una «afirmación», tal y como sostiene Horn, sino que todo lector imparcial se dará cuenta de que es un *hecho*. Del mismo modo, creo que las declaraciones de Horn dejarán en todos los lectores imparciales la sensación de que este no habla de *antifascismo*, sino de antigermanismo. De lo contrario, Horn debería estar de acuerdo con Weigel, el cual, tal y como reconoce Horn, no hace más que oponerse a los fascistas, poniendo tan solo una reserva: que se deje de una vez en paz a los alemanes no fascistas, es decir, *que el antifascismo no se convierta en antigermanismo, cayendo de este modo en la clásica mentalidad nazi de la generalización.*

¿Pero qué pasa con el «tacto con las víctimas inocentes», del que habla Horn, y con el sufrimiento inconmensurable que los alemanes causaron en Austria? Me permitiré hacer un comentario sobre esto: aquel que realmente siente respeto ante las víctimas no debería hablar del sufrimiento que los alemanes causaron en Austria, sino preguntar antes a las propias víctimas, a los austriacos que estuvieron prisioneros en los campos de concentración, y estos le contarán que *las SS de Viena eran las más temidas de todas.* Debería preguntar a los judíos austriacos que estuvieron en Viena el 10 de noviembre de 1938 y que luego, en los campos, escucharon de sus correligionarios alemanes que ese mismo día las SS alemanas, que obedecían las mismas órdenes superiores, actuaron *de un modo mucho más benévolo.*

Horn debería tener los mismos reparos contra los alemanes *en su conjunto* que contra los austriacos, pues, en este momento, ni él ni yo podemos averiguar dónde se encuentra el mayor porcentaje de «demócratas y antifascistas honrados», si en Alemania o en Austria; y si él se remite a «ciertas noticias extrañas» sobre Alemania, yo podría presentarle otras no menos extrañas sobre Austria.

Sé que corro el riesgo de que mis comentarios se malinterpreten y se entiendan como alta traición. Todo austriaco consciente de su responsabilidad debe contar con este malentendido en cuanto sospeche la gran amenaza actual: *¡el fariseísmo austriaco!*

El mismo Horn escribe que «un gran número de austriacos no se mostró siempre inmune al veneno nazi». ¿Con qué derecho puede afirmar ahora que «en Alemania el fascismo echó raíces mucho más profundas que entre nosotros y, de hecho, Austria es mucho menos culpable»? ¿Con qué derecho puede hacer como si solo de la nación alemana pudiera decirse que hubo un movimiento que, «con mucho apoyo popular, permitió y provocó el asesinato de veintiséis millones de personas»? ¿Con qué derecho pretende hacernos creer que a los alemanes «les ha encantado ser una raza dominante, y serlo de una manera despiadada»? ¿Y con qué derecho exige a los alemanes un «periodo de prueba de su honestidad democrática» y a los austriacos uno más corto o incluso ninguno? De momento, todavía no hemos visto en *Austria* que un Niemöller o un Jaspers se levante y grite sincera y claramente que *él* también es culpable.

El fariseo austriaco es también ese para el que resultaría oportuna esa frase de Horn con la que este rebate la tesis de Weigel sobre «un matrimonio forzado» entre Austria y Alemania, y que dice así: «lo que sucedió con los alemanes durante los años de la ocupación no fue un matrimonio y, por lo tanto, no deberíamos darle ese nombre». Ciertamente, eso no fue un matrimonio, sino algo que en muchos casos rozaba realmente la prostitución.

Yo mismo conocí de cerca a los nazis de Múnich —que, desde hacía tiempo y quizá tanto como Viena, era una ciudad *rebelde*— tras ser liberado del campo de concentración, y debo decir que nunca escuché insultar a los prusianos (que seguramente son los enemigos históricos de todos los bávaros) como actualmente se ha puesto de moda en Austria. De moda, en el sentido del fariseísmo austriaco que acabo de denunciar; de moda también en el sentido y en el interés de los nazis austriacos, que, haciendo una variación contemporánea del grito «¡A por el ladrón!», gritan con empeño *«¡A por los boches!»*.

Manuscrito mecanografiado para Plan *1:8, 1946; comentarios a los artículos de Horn y Weigel*

Un psicoterapeuta responde a cuestiones actuales 1947

Pregunta: ¿Qué se puede hacer contra la angustia vital que sufren muchas personas tras las experiencias de los últimos años (ataques aéreos, miedo a la Gestapo, campos de concentración), y qué explicación puede dar un psiquiatra a esta angustia?

Frankl: Para responder a esta pregunta, hay que tener en cuenta que esto depende más de las personas que de las circunstancias. A raíz de los mismos acontecimientos, unas salen reforzadas mentalmente, mientras que otras quedan «mentalmente bombardeadas». Si hoy hay alguien que continúa sintiendo angustia vital, cabe preguntarse si esto no es una tendencia natural de la persona. Hay muchas personas que salieron fortalecidas interiormente de la dura escuela de los últimos años. Algunas lograron encontrarse a sí mismas. Es difícil explicar esto desde un punto de vista psicológico, pero podemos utilizar para ello un hermoso símil: no sé si alguna vez habrán escuchado que una bóveda en ruinas se sostiene y se refuerza poniéndole peso encima. Por lo visto, a los seres humanos nos ocurre algo parecido, pues conozco a decenas de personas que en los campos de concentración se curaron de sus neurosis. Evidentemente, nadie podría recomendar este tipo de «cura» y, sobre todo, esto es algo que no se le podría haber deseado a nadie; eso fue *curarse por las buenas o por las malas.* Si la persona tenía una seguridad interior, si creía en una idea o en Dios, las penalidades no hicieron más que fortalecer su fe; en cambio, si la persona se encontraba desde el principio frágil e insegura, esa seguridad naturalmente desapareció. Pero lo cierto es que la carga podía ser terrible y que esperamos que el sufrimiento de los últimos años haya servido a las personas honradas para crecer y para no desalentarse.

Algunos psicoanalistas de la escuela freudiana con los que estuve en el campo sostenían que la vida interior de los prisioneros sufría una «regresión», un retroceso en el desarrollo mental a un nivel primitivo. Pero yo conozco también muchos casos en los que esa misma experiencia condujo a un crecimiento interior, un fortalecimiento mental y un mayor afianzamiento espiritual. Por eso, la conclusión más importante que podemos sacar de toda la psicología del terror y los campos de concentración es que *¡todo depende de la persona!*

Centrándonos ahora en su pregunta acerca de la angustia vital, las personas que han vivido la absoluta cercanía de la muerte no suelen tender en absoluto a tener miedo o asustarse, bien al contrario, ya no tienen miedo de nada. Pero debemos tener en cuenta que pensar que es posible medir el sufrimiento humano y establecer grandes diferencias es un prejuicio. Yo creo, por ejemplo, que una anciana madre que haya estado en peligro de muerte en un refugio antiaéreo se encuentra sin ninguna duda en el mismo nivel que las personas que vivieron los peligros del frente o los campos de concentración. Todas estas personas se enfrentaron a la destrucción y a la nada. La única diferencia es que muchas veces en el campo de concentración una persona ya no era nada aún estando viva, porque nunca sabía si tres días después seguiría cavando zanjas o estaría tirada sobre un montón de cadáveres, ya que no se la consideraba en absoluto un ser humano, sino un número insignificante dentro de una multitud o una cifra totalmente intrascendente en una lista de transporte.

De hecho, todas las personas que han estado expuestas a la aniquilación accidental o intencionada, todas las que han vivido intensamente la guerra y el terror deben ser tratadas desde el mismo punto de vista psicológico. Por último, hubo también prisioneros que «reprimían» todas sus desgracias y solo intentaban una cosa: salvarse y sobrevivir a la experiencia lo mejor que pudieran; para estas personas, el campo de concentración no estuvo unido a ninguna experiencia profunda y, por eso, la desgracia tampoco las hizo madurar. Y por otra parte, hay personas que no estuvieron en campos de concentración, pero vivieron tan intensamente los bombardeos que esto las hizo madurar interiormente. De nuevo volvemos a ver lo mismo: *¡todo depende siempre de la persona!*

Para contestar a su pregunta sobre si es posible ayudar y cómo a una persona que sufre de angustia, es necesario aclarar el porqué de este sufrimiento. Sabemos, por ejemplo, que las personas que viven las consecuencias de la guerra y la posguerra padecen a menudo de hipertiroidismo, lo cual puede producir cierta predisposición física al miedo. A otras personas todo lo ocurrido durante los últimos años solo les sirve para autoengañarse. Les sirve como chivo expiatorio: *utilizan las horribles experiencias pasadas como disculpa para su angustia vital de hoy*. Pero solo el médico, y siempre según cada caso particular, puede saber cuáles son las causas psíquicas o físicas de la enfermedad. Responder a la pregunta de manera general sería actuar de forma diletante. [...]

PREGUNTA: El extravío de los jóvenes es nuestra mayor preocupación; ¿cómo ve un psiquiatra este problema?

FRANKL: Déjeme contarle primero un episodio: una vez, en un juicio contra un joven que había robado pan, me preguntaron como experto psiquiatra si esta persona tenía alguna deficiencia mental. Yo había examinado bien al joven y había constatado que era psíquicamente normal, es decir que no sufría ningún tipo de deficiencia. Pero cuando presenté mi informe, no olvidé añadir que, *bajo esas circunstancias concretas*, es decir, en una situación de extrema necesidad, una persona que no hubiera sucumbido a la tentación de robar pan no tendría que haber sido normal, sino alguien superior. Haber declarado solo que el joven no era deficiente habría sido como no decir nada, si no se hubiera añadido que solo una persona muy superior podría atravesar estos tiempos con las manos completamente limpias. Antes de acusar a las personas, debemos preguntarnos siempre hasta qué punto habría que acusar a la época.

Y así llegamos a lo más importante. Desde Alfred Adler sabemos lo importantes que son para los jóvenes los sentimientos de inferioridad. Yo pienso que es difícil exigir a los jóvenes que trabajen y no se dediquen al contrabando; y es difícil hacerlo porque la situación económica actual hace que el trabajador honesto tenga sentimientos de inferioridad. Porque, tal y como están hoy las cosas, toda persona normal (o sea, no superior) pensará: «¡Soy tonto por estar trabajando y bregando para ganar una miseria cuando mi amigo solo necesita hacer un par de viajes de contrabando para ganar diez o hasta cien veces más que yo!». En mi opinión, aquí se encuentran los *límites de cualquier terapia de tipo psicológico*. Al mismo tiempo, estos límites son un llamamiento a la sociedad para que procure a los jóvenes trabajadores unas condiciones de vida bajo las cuales puedan tener una autoestima normal y no sentirse estúpidos. Si no solo enseñamos a los trabajadores jóvenes que son los mejores, sino que creamos para ellos condiciones de vida que les resulten beneficiosas, entonces los libraremos también de sus sentimientos de inferioridad, y solo entonces conseguiremos eliminar del camino las trabas que les impiden alcanzar su deseo de llevar una vida honrada.

Pero de lo dicho hasta ahora se desprende también que podemos considerar a cualquier joven que actualmente *se resista* a la tentación de conseguir dinero de una manera fácil como uno de los mejores representantes de su generación; porque si el contrabandista «no es inferior», entonces el joven trabajador que continúa siendo honrado a pesar de todo es alguien superior, y solo nos queda desear que esta *vanguardia moral de la juventud*, integrada por personas jóvenes y sencillas, cuyo trabajo honrado demuestra su gran valía, compense, como modelos salidos de entre sus propias filas, lo que antes hicieron mal *las personas adultas que sirvieron de modelos negativos*. Nunca debemos olvidar que solo un joven tendría derecho a criticar los ejemplos de embrutecimiento y decadencia moral de la juventud. Una persona adulta no tendría derecho a hacerlo. Pues, después de todo, el poder supremo y último de toda educación se encuentra en el ejemplo, pero en los jóvenes podemos observar hasta qué punto ha fracasado en general el ejemplo de los adultos. No olvidemos que, a nivel moral, cuando llegaron los primeros miembros de las SS, la actual generación de jóvenes era todavía una página en blanco. Las manchas que nuestro tiempo ha dejado en esa página no las han provocado, pues, los jóvenes, sino los adultos.

Entrevista. Manuscrito mecanografiado

Die Furche y Spinoza
Agosto de 1947

Antes, todos los escolares sabían que uno de los más grandes filósofos de todos los tiempos, Baruch Spinoza, era judío. Sin embargo, en un homenaje de cinco columnas (unas dos páginas) aparecido en *Die Furche* el 19 de julio de 1947, se omite como por vergüenza este hecho archiconocido. ¿No nos debería dar que pensar este detalle? Especialmente ahora que muchos escolares (niños que fueron miembros de las Juventudes Hitlerianas y niñas que pertenecieron a la BdM [Bund Deutscher Mädel, Liga de Muchachas Alemanas]) desconocen que Spinoza era judío. ¿No da la impresión de que, dos años después, todavía hay que silenciar su judaísmo?

Ciertamente, de acuerdo con el pensamiento de Spinoza, lo menos importante sería enfatizar su pertenencia a una religión o nación como algo esencial. Por lo que respecta a su religión, fue expulsado de la comunidad religiosa judía y no adoptó ninguna otra religión, tampoco la católica.

Esto nos recuerda a un comentario de Einstein, que una vez dijo que, si se confirmara su teoría, los alemanes dirían que era alemán y los franceses que era un ciudadano del mundo, pero que, si estuviera equivocado, los franceses dirían que era alemán y los alemanes que era judío.

Tras leer el artículo sobre Spinoza en *Die Furche*, uno llega a una conclusión parecida. En él se dice que Spinoza provenía de una familia portuguesa (!) «que, debido a su religión, tuvo que salir de ese país intolerante». ¡Y ni siquiera en este punto se dice ni una palabra sobre el judaísmo! Además, no se refieren a nuestro filósofo «portugués» como Baruch, sino como Benedict. Si sintetizamos la anterior cita de Einstein, el artículo sobre Spinoza y, finalmente, las prácticas más recientes de la prensa «cristiana», podemos concluir sin temor a equivocarnos que ¡ay del pobre Spinoza, si hubiera sido un ladrón y lo hubieran pillado haciendo contrabando con una lata de conserva! Entonces lo hubieran llamado «el ladrón judío Baruch Spinoza»; pero así, como figura histórica de la filosofía, aparece en las columnas de *Die Furche* como el portugués Benedict Spinoza.

En: Der neue Weg. Ein jüdisches Organ *14*

EL CULPABLE NO ES EL LADRÓN, SINO AQUEL A QUIEN LE HAN ROBADO
Enero de 1948

Realmente, parece que hay algo de profético en los judíos. Recientemente hice unas declaraciones señalando que *Die Furche* ocultaba intencionadamente en un artículo sobre Spinoza que este era judío, describiéndolo simplemente como un filósofo descendiente de una familia portuguesa; me preguntaba si, en el caso de que Spinoza no hubiera sido un filósofo mundialmente conocido, sino un ladrón al que hubieran sorprendido vendiendo algo de contrabando, *Die Furche* se hubiera referido a él también como el portugués Benedict Spinoza o más bien como el judío Baruch Spinoza... Y ahora ha ocurrido algo similar. En un diario de las juventudes católicas austriacas leo:

> Unos desconocidos robaron joyas, abrigos de pieles y vestidos por valor de cien mil chelines en la vivienda de Heinrich Kohn, en el Rotenmühlgasse de Viena, ¡inaudito! La agencia tributaria debería interesarse por este tipo de casos. ¿Ha pagado la víctima siempre a tiempo sus impuestos?, y ¿cómo ha conseguido reunir tantos objetos de valor en tan poco tiempo?

También nosotros decimos «¡inaudito!», pero como los bárbaros somos mejores personas..., ni siquiera citaremos las iniciales de los editores del periódico; solamente queremos hacer una sugerencia: esperamos que nuestros comentarios contribuyan a que este periódico, que por lo demás suele tener un muy buen nivel (si no fuera así, yo, como judío, no lo leería tan a menudo), dé un «giro» a partir de esta noticia de carácter manifiestamente antisemita... Y es por eso que recomendamos *a sus editores* que busquen orientación profesional. De este modo sería posible determinar *si estos señores no serían más aptos para trabajar como recaudadores de impuestos* que como editores de un periódico cristiano.

¿Qué pretendían conseguir con esta noticia? *En el mejor de los casos,* su contenido es un informe confidencial o un aviso a la agencia tributaria. Pero algo así solo tiene cabida en un periódico católico si lo que se pretende es que los jóvenes católicos se vuelvan tan antisemitas como lo eran muchas veces los ancianos de este país. La alusión al nombre de Kohn parece responder claramente a este propósito, por no mencionar el hecho de que en la primera página del número en cuestión se anima a la gente a ayudar al «acusado» (un nazi). En principio, no habría nada que objetar; quien escribe estas líneas ha ayudado a más de un nazi inculpado, siempre que «su pertenencia al partido no ocultara malas intenciones», y lo ha hecho a pesar de que, después de años de reclusión en campos de concentración, después del exterminio de todos los miembros de su familia, excepto uno, y de la pérdida de todas sus posesiones, hoy en día siga durmiendo en un sofá prestado... Pero ahora nos preguntamos: ¿pedía también ayuda el periódico para aquellas personas a las que se niega, como todo el mundo sabe, la más elemental reparación? ¿Pedía ayuda para aquellas personas que continúan alojándose en albergues, mientras que sus casas siguen ocupadas por los nazis que se las quitaron *(Ariseuren)*? Y la respuesta a estas preguntas es no. Este periódico no ve la viga en su propio ojo y comete el mismo error que cometió un conocido predicador vienés al que hace dos años escuché desatarse en improperios durante el sermón de cuaresma contra las personas que, «sin ningún tipo de reserva moral», habitan las viviendas de nazis huidos, mientras que en ningún momento apeló a la conciencia de los *Ariseuren*. Él solo veía la paja en el ojo ajeno...

En: Der neue Weg *1/48*

Los asesinos están entre nosotros
Agosto de 1947

En 1946 Wolfgang Staudte rodó Los asesinos están entre nosotros, *una de las primeras películas de la* DEFA.[1] *La película narra la vida de la joven fotógrafa Susanne Wallner (Hildegard Knef) tras su vuelta a Berlín, después de haber estado prisionera en un campo de concentración, y su encuentro con el cirujano Hans Mertens (Ernst Wilhelm Borchert), después de que este regresara del frente. Esta película fue el primer acercamiento del cine al nazismo.*

No vamos a hacer aquí la habitual crítica cinematográfica. No es necesario, ni tampoco sería posible. No es necesario porque la película está por encima de cualquier crítica y ha sido reconocida en todas partes. En vista de sus cualidades artísticas, los austriacos no podemos evitar avergonzarnos de que nuestras primeras películas, realizadas bajo las mismas condiciones de producción, sean *inferiores*. ¿Y por qué decimos que no es posible hacer una crítica al uso? ¿Quiere decir esto que solo valoramos la película por sus intenciones y que solo queremos juzgarla desde un punto de vista político? No, originariamente esta no es una película con intención política. Es una película genuinamente humana (si hubiera sido de otro modo, probablemente su nivel artístico también habría sido otro). Pero, aunque la intención no sea política, la película sí tiene este efecto. No hay más que escuchar las animadas conversaciones que se producen entre el público después de cada proyección. Las masas expresan a voces su rencor contra la hipocresía de aquellos criminales, las personas se desfogan, y esto es lo que produce ese efecto catártico

1. Deutsche Film AG, compañía cinematográfica estatal de la RDA, creada en 1946. *(N. de la T.)*

(purificador del alma) que buscaba la tragedia griega. Desgraciadamente, el público no acompaña del todo. A menudo se oyen risas fuera de lugar. Por ejemplo, si el protagonista estalla en una risa totalmente sarcástica, inmediatamente la mayor parte del público comienza a reír entusiasmada.

El público de hoy es una masa harto sugestionable; en esto lo han convertido años de gobierno autoritario. Además, es un público superficial, apenas consciente del significado profundo y de la relevancia de una película. Más que a un público sin educación artística, hay que hacer responsable de esto a una educación artística fracasada. Si antes hablábamos del efecto catártico de la película en cuestión en una masa que tiene que tragarse y «reprimir» el rencor que le causa ver cómo permanecen libres e impunes tantos grandes y pequeños criminales de guerra, deberíamos señalar también que en los propios criminales puede darse un efecto purificador similar; para algunos, esta película supondrá la oportunidad de encontrar el camino hacia la liberación interior, hacia el autoconocimiento (que, como se sabe, es el primer paso para la superación), hacia el reconocimiento de la culpa ante la propia conciencia que se autoexplora. La película adquiere así un eminente significado psicoterapéutico colectivo: tiene el poder de animar a entenderlo todo y a perdonarlo todo; aunque no debemos olvidar que solo se puede perdonar algo a los demás —comprenderse a uno mismo no significa *perdonarse*, sino arrepentirse de algo y enmendarse—. Ojalá que el impacto de esta película en el público contribuya a liberar a los espectadores, al igual que al protagonista, de los demonios del pasado, a través de la conciencia de un compromiso concreto y personal con la reconstrucción interior y exterior.

En: Der neue Weg *14*

Discursos conmemorativos

1949-1988

In memoriam
25 de marzo de 1949

In memoriam... En memoria... «*¿Qué es el hombre* para que te acuerdes de él?». Esta es una pregunta que los salmistas dirigen a Dios. Vamos a hacernos hoy esa pregunta a nosotros mismos: ¿qué eran nuestros compañeros muertos para que los estemos recordando hoy? Ustedes ya saben o ya les han contado en otras ocasiones cómo fue su experiencia en las filas de 1938 a 1945, cómo vivieron y cómo murieron en la cárcel y en el exilio. Mi cometido es dar testimonio ante ustedes del trabajo y del sufrimiento de los médicos vieneses en los campos de concentración, hablarles de médicos reales, que vivieron y murieron como médicos, de médicos reales que no podían ver sufrir y dejar sufrir a los demás y que sufrieron y supieron padecer con dignidad el dolor verdadero.

Corría el verano de 1942. En todas partes había deportaciones, también de médicos. Una noche me encontré en la *Praterstern* a una joven dermatóloga. Conversamos acerca de lo que significaba ser médico en nuestros días, de la misión de los médicos en nuestro tiempo; y hablamos de Albert *Schweitzer*, el médico de la selva de Lambaréné, y de nuestra admiración por él. Y dijimos que no necesitábamos quejarnos de no poder emular a ese médico y ser humano ejemplar, pues lo cierto es que nos sobraban oportunidades para ofrecer ayuda médica, al igual que él, en las circunstancias más desfavorables que uno pueda imaginar. No necesitábamos viajar a la selva africana. De todas estas cosas hablamos entonces, y aquella misma noche nos prometimos el uno al otro que, si llegaba el día en que nosotros también fuéramos deportados, aprovecharíamos la ocasión. Poco después llegó ese día. Mi joven colega no tuvo mucho tiempo para aprovechar la oportunidad que, desde la ética médica, le brindaba su deportación: poco después de llegar al campo contrajo el tifus y unas semanas más tarde murió. Era la doctora Gisa *Gerbel*. En su memoria...

Luego había un médico de los pobres del decimosexto distrito, que en Viena era conocido por «el ángel de Ottakring», un tipo muy vienés, que en el campo siempre fantaseaba con celebrar el regreso en un *Heuriger*[1] de Viena y que, con una mirada feliz y lágrimas en los ojos, entonaba canciones populares: «Erst wenn's aus wird sein...». Este era el ángel de Ottakring; pero ¿qué ángel guardián lo protegió a él cuando en la estación en Auschwitz, delante de mis ojos, lo hicieron colocarse en el lado izquierdo, lo cual significaba ir directo a la cámara de gas?... Este era el ángel de Ottakring. Su nombre es doctor *Plautus*. En su memoria...

Luego estaba el doctor *Lamberg*, hijo del primer jefe médico de la Sociedad de Salvamento de Viena, muy conocido por su manual entre todos los estudiantes de primeros auxilios. El doctor Lamberg tenía la apariencia de un hombre de mundo y se comportaba como tal. Cualquiera que haya visto alguna vez a este excelente hombre lo sabe. Pero yo lo vi también moribundo, en un barracón semisubterráneo, tumbado en el suelo, entre decenas de personas medio muertas de hambre, apretujadas las unas junto a las otras. Y lo último que me pidió fue que apartara un poco el cadáver que tenía a su lado, medio encima... Este era el doctor Lamberg, el viejo hombre de mundo, uno de los pocos compañeros del campo con el que se podían mantener conversaciones filosóficas y sobre religión incluso mientras hacíamos los trabajos más duros, en las vías del tren, bajo una tormenta de nieve. En su memoria...

Y estaba la doctora Martha *Rappaport*, la que fuera mi ayudante en el Hospital Rothschild de Viena, quien también había sido asistente médica de Wagner-Jauregg, una mujer con un corazón tan grande que no podía ver llorar a nadie sin emocionarse y llorar ella

1. En Viena y otros lugares de Austria, un *Heuriger* es una especie de taberna-restaurante en la que se sirve vino cosechero. *(N. de la T.)*

también. ¿Quién lloró por ella cuando fue deportada? Esta era la doctora Rappaport. En su memoria...

En el mismo hospital había un joven cirujano, el doctor Paul *Fürst*, y otro médico, el doctor Ernst *Rosenberg*. Tuve la ocasión de hablar con los dos en el campo poco antes de su muerte. Y sus últimas palabras no fueron de odio. Sus labios solo pronunciaron palabras de anhelo y de perdón, porque ellos, al igual que nosotros, no odiaban a las personas —a las personas hay que saber perdonarlas—; ellos solamente odiaban el sistema que a unos los hizo culpables y que a otros les trajo la muerte.

He mencionado pocos nombres y no lo he hecho atendiendo a la categoría científica; he hablado de personas concretas, pero me estoy refiriendo a todas. Unas pocas representan a muchas, porque ninguna crónica escrita por una mano humana podría incluirlas a todas. Pero, además, no necesitan una crónica, ni necesitan una placa conmemorativa, pues *cada una de sus acciones es un monumento* mucho más imperecedero que cualquier cosa que podamos hacer. Lo que ha hecho una persona no se puede deshacer, no se puede eliminar. *Y no es verdad que se pierda irremediablemente en el pasado*, sino que en el pasado *se encuentra a salvo y es indestructible*. Es cierto que en aquellos años muchos deshonraron la profesión médica. Pero también es cierto que otros la ennoblecieron. Algunos médicos de los campos experimentaron con personas moribundas, pero hubo otros que experimentaron consigo mismos. Recuerdo a un neurólogo berlinés con el que, en nuestro oscuro barracón, mantuve muchas conversaciones nocturnas sobre los problemas actuales de la psicoterapia moderna. Antes de morir en el campo, dejó escrito un relato sobre sus vivencias en sus últimas horas de vida.

Las experiencias en el campo de concentración eran en realidad un único gran experimento, un verdadero *experimentum crucis*, que nuestros compañeros muertos soportaron honrosamente, demostrándonos que está en manos del ser humano *seguir siendo un ser humano incluso bajo las condiciones más adversas e indignas*. Un verdadero ser humano y un verdadero médico. Lo que para ellos fue una honra debe servirnos a nosotros para enseñarnos qué es y qué puede llegar a ser el ser humano.

¿Qué es el ser humano?

Nosotros lo hemos conocido quizá como ninguna otra generación lo había hecho; lo hemos conocido en el campo de concentración, donde todo lo irrelevante se había esfumado, donde desapareció todo lo que uno había poseído: el dinero, el poder, la fama, la felicidad, y quedó solo lo que uno no puede «tener», solo lo que uno debe «ser». Lo que quedó fue el mismo ser humano. Consumido por el dolor y abrasado por el sufrimiento, quedó reducido a lo esencial en él, a un ser humano.

Entonces, ¿qué es el ser humano?

De nuevo nos lo preguntamos. El ser humano es un ser que siempre *decide* lo que es; es un ser que lleva dentro la posibilidad de caer hasta el nivel de un animal o elevarse hasta la santidad. El ser humano es ese ser que inventó las cámaras de gas, pero también ese que entró en ellas erguido, recitando el padrenuestro o la plegaria judía de la muerte.

Eso es, pues, el ser humano.

Y ahora sabemos también la respuesta a la pregunta que nos hacíamos al principio: ¿quién es el hombre *para que hoy lo recordemos*? «Es un junco —dijo Pascal—, ¡pero un junco que piensa!». Y ese pensamiento, esa conciencia, ese ser responsable es lo que constituye la dignidad del ser humano, la dignidad de cada ser humano. Y depende de cada persona pisotearla o defenderla. Y así como lo uno representa el valor de un ser humano, lo otro representa su culpa. ¡Y la culpa solo puede ser personal! ¡Jamás deberíamos hablar de culpa colectiva! Naturalmente, existe también la culpa personal de un ser humano que «no ha hecho nada malo», pero que ha dejado de hacer muchas cosas, porque temía por sí mismo o por sus parientes. Sin embargo, aquel que pretenda acusar a esta persona de «cobarde» debería probar antes que él mismo se hubiera comportado como un héroe en la misma situación.

¿Y no será mejor no juzgar tanto a los demás? Paul Valéry dijo una vez: «Si nous jugeons et accusons, le fond n'est pas atteint» —si juzgamos y acusamos, no llegamos al fondo—. Y por eso, no solo queremos recordar a los muertos, sino también perdonar a los vivos, y así como tendemos la mano a los muertos, por encima de cualquier tumba, también queremos tendérsela a los vivos, por encima de cualquier odio. Y cuando decimos «Gloria a los muertos», queremos añadir también: «y paz en la Tierra para todos los hombres *de buena voluntad*».

Discurso conmemorativo en memoria de los colegas fallecidos de la Sociedad de Médicos de Viena

Reconciliación
también en nombre de los muertos
27 de abril de 1985

Estimados oyentes:

En primer lugar, gracias por invitarme, es un honor. Ahora me siento autorizado a tomar la palabra y hablar en nombre de los muertos.

Nací en Viena, pero volví a nacer en Türkheim. Este renacimiento tuvo lugar habiendo transcurrido ya la primera mitad de mi vida. Hace poco cumplí 80 años. Mi cuadragésimo cumpleaños lo pasé en el campo de concentración de Türkheim. Mi regalo de cumpleaños fue que, después de estar semanas enfermo de tifus, ese día, por primera vez, no tuve fiebre.

Mi primer recuerdo es, pues, para los compañeros fallecidos. Y mi primer agradecimiento es para los estudiantes que han diseñado la placa conmemorativa, a los que les doy también las gracias en nombre de los muertos a los que está dedicada. También quiero dar las gracias a las personas que nos liberaron, que salvaron la vida a los supervivientes. A ellas quiero contarles una pequeña historia. Hace unos años fui a la universidad de la capital de Texas para dar una conferencia sobre la logoterapia (la escuela de psicoterapia que yo mismo fundé y desarrollé), y el alcalde de la ciudad me nombró ciudadano de honor. Le respondí que era yo el que debería nombrarlo a él «logoterapeuta de honor», pues si los jóvenes de Texas no hubieran arriesgado y, en algunos casos, incluso sacrificado sus vidas para liberarnos a partir del 27 de abril de 1945 no hubiera existido Viktor Frankl, ni mucho menos la logoterapia. Al alcalde se le saltaron las lágrimas.

Quiero dar las gracias también a los ciudadanos de Türkheim. Cada vez que daba la última clase del semestre en la Universidad Internacional de los Estados Unidos de California solía pasar, a petición de los estudiantes, una serie de diapositivas de las fotos [de los campos] que tomé después de la guerra. Y al final siempre les mostraba una foto tomada más allá del terraplén del ferrocarril, en la que podía verse una gran granja, ante la cual posaba una familia numerosa. Durante los días finales de la guerra, esas personas habían arriesgado sus vidas para esconder en su casa a muchachas judías húngaras que habían huido del campo de concentración. Mi intención era demostrar el que es, desde el primer día de la guerra hasta hoy, mi más profundo convencimiento: ¡no existe la culpa colectiva! Y mucho menos una culpa colectiva retroactiva, por llamarla de algún modo, que significaría considerar a alguien responsable de lo que hizo la generación de sus padres o incluso de sus abuelos.

La culpa solo puede ser personal, solo puede ser la culpa por lo que uno mismo ha hecho o dejado de hacer, por lo que podría haber hecho y no hizo. Pero también en estos casos debemos mostrar cierta comprensión ante los temores de la gente por su libertad, por su vida y por sus familias. Ciertamente, hubo quienes prefirieron dejarse encerrar en un campo de concentración antes que traicionar sus principios. Pero la verdad es que solo hay una persona a la que podamos exigirle heroísmo: *uno mismo*. Al menos, la única persona con derecho a exigirles heroísmo a los demás es aquella que ha demostrado que ella misma prefirió ir a un campo de concentración antes que acomodarse o llegar a acuerdos. Aquel que se hallaba a salvo en el extranjero no puede exigir que otros prefieran ir a la muerte antes que actuar de manera oportunista. Y he aquí que el juicio de los que estuvieron en un campo de concentración es, por lo general, mucho más benévolo que el de los emigrantes que pudieron conservar su libertad o el de aquellos que vinieron al mundo diez años después.

Para terminar, quiero mostrar mi agradecimiento a un hombre que desgraciadamente no ha podido presenciar este acto de reconocimiento. Estoy hablando del comandante del campo de concentración de Türkheim, el señor Hofmann. Es como si lo estuviera viendo. El día que llegamos desde el campo de Kaufering III, vestidos con ropas andrajosas, helados y sin mantas, él empezó a maldecir, horrorizado porque nos hubieran enviado allí en tal estado. Él fue quien compró en secreto y con su propio dinero, tal y como se supo posteriormente, medicamentos para sus prisioneros judíos.

Hace unos años invité a una reunión en un mesón local a algunas personas de Türkheim, que habían ayudado a prisioneros del campo; me hubiera gustado que viniera también el señor Hofmann, pero resultó que había muerto poco antes. He sabido ahora a través de un consejero espiritual, al que todos ustedes seguro conocen y que también ha muerto ya, que el señor Hofmann, aunque no tenía en absoluto por qué, vivió hasta el final de su vida atormentado por los reproches que se hacía a sí mismo. Para mí habría sido un placer intentar aliviar su sufrimiento.

Ahora objetarán ustedes: de acuerdo, todo muy bonito, pero las personas como el señor Hofmann son una excepción. Puede ser. Pero son fundamentales, al menos cuando se trata de comprensión, perdón y reconciliación. Me siento legitimado a decir esto, porque nada menos que el difunto célebre rabino Leo Baeck ya escribió en 1945 —¡imagínense, 1945!— una «oración por la reconciliación», en la que afirma categóricamente que «¡solo las cosas buenas deben importar!».

Y si me dicen que entonces había muy pocas cosas buenas, no puedo más que responder con las palabras de otro gran pensador judío, el filósofo Baruch Spinoza, que finaliza su principal obra, la *Ética*, con las siguientes palabras: «sed omnia praeclara tam difficilia, quam rara sunt». Todo lo excelso es tan difícil como raro. Yo también creo que las personas decentes son la minoría, siempre lo han sido y siempre lo serán. Pero esto no es nada nuevo. Según una antigua leyenda judía, la existencia del mundo depende de que siempre haya en la Tierra treinta y seis personas justas —¡solo treinta y seis!—. Yo no puedo decirles cuántas exactamente, pero estoy convencido de que en Türkheim también hubo, y seguro que sigue habiendo, algunas personas justas. Hoy que recordamos a los que murieron en este campo, quiero dar también las gracias en su nombre a las personas justas de Türkheim.

Discurso conmemorativo con motivo del cuadragésimo aniversario de la liberación del campo de concentración de Türkheim, en Baviera

Todas las personas de buena voluntad
10 de marzo de 1988

Damas y caballeros:

Espero que me comprendan si, en estos momentos en que nos hemos reunido para recordar, les pido que recordemos a mi padre, caído en el campo de concentración de Terezín, a mi hermano, muerto en el campo de Auschwitz, a mi madre, asesinada en la cámara de gas de Auschwitz, y a mi primera mujer, que perdió su vida en el campo de Bergen-Belsen. A pesar de ello, debo pedirles que no esperen de mí una sola palabra de odio. ¿A quién debería odiar? Solo conozco a las víctimas, no a los verdugos, o al menos no los conozco personalmente, y me niego a condenar a nadie de manera colectiva. No existe la culpa colectiva, y esto no solo lo digo ahora, sino que lo he dicho desde el día que fui liberado del último campo de concentración en que estuve, a pesar de que en aquellos momentos no era muy popular atreverse a hablar abiertamente en contra de esa idea.

Solo existe la culpa personal, la culpa por algo que uno mismo ha hecho o ha dejado de hacer. No puedo ser culpable de algo que otros han hecho, aunque esos otros sean mis padres o mis abuelos. Y hacer creer a los austriacos que hoy tienen entre uno y cincuenta años que son, por así decirlo, «culpables con carácter retroactivo» es, en mi opinión, un delito y una locura, o, para expresarlo en términos psiquiátricos, sería un delito si no se tratara de un caso de enajenación mental, así como una recaída en la llamada *Sippenhaftung*[1] de

1. Según este concepto jurídico establecido por el Tercer Reich, una persona acusada de crímenes contra el Estado extendía su responsabilidad penal a sus parientes, de forma que estos eran considerados asimismo culpables. *(N. de la T.)*

los nazis. Asimismo, creo que las víctimas de aquella persecución colectiva deberían ser las primeras en estar de acuerdo conmigo, a menos, claro está, que quieran poner a los jóvenes en manos de los viejos nazis o de los neonazis.

Volviendo de nuevo a mi liberación del campo de concentración, cuando salí, regresé a Viena con el primer transporte disponible (aunque ilegal): un camión. Entretanto, he viajado sesenta y tres veces a los Estados Unidos, pero siempre he regresado a Austria, y no precisamente porque los austriacos me quieran mucho, sino al contrario, porque yo quiero mucho a Austria y, como se sabe, el amor no siempre es recíproco. Y siempre que estoy en los Estados Unidos me preguntan: «Señor Frankl, ¿por qué no vino usted a nuestro país *antes* de la guerra? Se habría ahorrado muchas cosas». Y les explico que estuve esperando durante años para conseguir un visado y que, cuando llegó, era ya demasiado tarde, pues fui sencillamente incapaz de abandonar a mis padres a su suerte en mitad de la guerra. Entonces me preguntan: «¿Pero por qué no vino entonces al menos *después* de la guerra, con todo lo que los austriacos le habían hecho a usted y a los suyos?». «Pues bien —les digo yo—, en Viena había una baronesa católica que, arriesgando su vida, escondió ilegalmente a una prima mía, salvándole de este modo la vida. Y había también un abogado socialista que, poniendo igualmente en peligro su vida, me hacía llegar alimentos siempre que podía». ¿Saben ustedes quién era? Bruno Pittermann, el mismo que más tarde fue vicecanciller de Austria. Así que ahora yo les pregunto a los estadounidenses por qué *no* iba a querer regresar a una ciudad en la que había personas como estas.

Damas y caballeros, me parece escuchar lo que dicen: todo eso está muy bien, pero eran excepciones, excepciones a la regla; por lo general, las personas eran oportunistas —deberían haber opuesto resistencia—.

Señoras y señores, tienen ustedes razón, pero recuerden: la resistencia requiere heroísmo y, en mi opinión, solo podemos exigirle este heroísmo a una persona: ¡a uno mismo! Y la persona que dice que habría que haberse dejado encerrar antes que llegar a un acuerdo con los nazis, tan solo debería decirlo si antes hubiera demostrado que *él* mismo prefirió dejarse encerrar en un campo de concentración, y he aquí que aquellos que estuvieron en los campos juzgan a los oportunistas con mucha más benevolencia que aquellos que se encontraban mientras tanto en el extranjero. Por no hablar de la generación de jóvenes, que no pueden ni imaginar de qué modo la gente temía y temblaba por su libertad, por su vida y por su familia, de la que, al fin y al cabo, eran responsables. Y aún debemos admirar más a aquellos que se atrevieron a unirse a la resistencia. Recuerdo a mi amigo Hubert Gsur, que, acusado de desmoralizar al ejército, fue condenado a muerte y ejecutado en la guillotina.

El nazismo difundió el racismo, pero, en realidad, solo hay dos razas humanas, la «raza» de las personas decentes y la de las indecentes. Y esta «división de razas» se da en todas las naciones y en todos los partidos dentro de cada nación. Incluso en los campos se encontraba uno de vez en cuando a un tipo más o menos decente dentro de las SS, así como también a algún desalmado entre los prisioneros, por no mencionar a los capos. Debemos aceptar que las personas decentes son la minoría, que siempre lo fueron y que, probablemente, lo seguirán siendo. El peligro comienza cuando un sistema político coloca en lo más alto a los indecentes, es decir, a los peores representantes de una nación. Ninguna nación está a salvo de que esto ocurra y, por lo tanto, ¡en toda nación podría darse un holocausto! Esto mismo sugieren también los impactantes resultados de la investigación científica en el campo de los estudios de psicología, que debemos agradecer a un estadounidense, y que pasaron a la historia con el nombre de experimento de Milgram.[2]

2. El objetivo de la serie de experimentos llevados a cabo por el psicólogo Stanley Milgram era medir hasta qué punto las personas están dispuestas a

Si queremos saber cuáles son las consecuencias políticas de todo esto, debemos partir del hecho de que básicamente existen solo dos tipos de política, o quizá sería mejor decir dos tipos de políticos: los unos creen que el fin justifica los medios, cualquier medio... En cambio, los otros saben muy bien que hay medios capaces de profanar incluso el fin más sagrado. Y es este tipo de político el que creo que, a pesar del ruido del año 1988, es capaz de escuchar la voz de la razón y ver que lo que necesitamos hoy, por no decir lo que necesitamos en este aniversario, es que todos los hombres de buena voluntad se tiendan la mano, más allá de todas las tumbas y más allá de todas las trincheras.

Gracias por su atención.

Discurso conmemorativo con motivo del quincuagésimo aniversario de la entrada de Hitler en Viena

---

obedecer las órdenes de una autoridad, aunque estas puedan entrar en conflicto con su conciencia personal. *(N. de la T.)*

Vida y obra de Viktor E. Frankl

Viktor Emil Frankl nació el 26 de marzo de 1905 en el distrito de Leopoldstadt de Viena. Fue el segundo hijo de Gabriel y Elsa Frankl, de soltera, Lion. Su padre, Gabriel Frankl, fue taquígrafo del Parlamento en la Primera República, antes de trabajar durante veinticinco años como asistente personal del ministro Joseph Maria von Bärnreither y de que más tarde se le encomendara la dirección del Departamento Ministerial para la Protección de la Infancia y el Bienestar de la Juventud. Su madre, Elsa Frankl, de soltera Lion, venía de una familia noble de Praga: los documentos familiares la presentan como descendiente del Rashi (Salomo ben Isaak, 1040-1105), del que toma su nombre la escritura Rashi, utilizada en los comentarios de la Biblia y del Talmud, y del rabino Löw de Praga (Juda ben Bezalel Liwa, 1520-1609).

Ya en la escuela secundaria, Frankl entra en contacto con las obras del científico y filósofo Wilhelm Ostwald y del cofundador de la psicología experimental, Gustav Theodor Fechner. Alumno aventajado, pronto empieza a «seguir su propio camino» y a asistir a clases de psicología general y experimental en la Universidad Popular. En estos años de exploración intelectual tiene lugar también su primer encuentro con el psicoanálisis de Sigmund Freud, en el que el joven Frankl profundiza gracias a las clases de los prestigiosos psicoanalistas Paul Schilder y Eduard Hitschmann.

Estando todavía en el instituto, Frankl mantiene una correspondencia regular con Freud. En 1922 el joven, con apenas 17 años, envía a Sigmund Freud un manuscrito sobre el origen y la interpretación de la mímica como afirmación y negación. A petición expresa de Freud, este trabajo será publicado dos años después en la revista *Internationale Zeitschrift für Psychoanalyse* (Frankl, 1924).

Desde muy pronto, Frankl empieza a interesarse cada vez más por la que entonces era la segunda escuela vienesa de psicoterapia: la psicología individual de Alfred Adler. En 1925 publica en la *Internationale Zeitschrift für Individualpsychologie* un artículo con el título «Psicoterapia y cosmovisión» (Frankl, 1925), en el que intenta sondear los límites entre la psicoterapia y la filosofía, especialmente las cuestiones fundamentales relativas al problema del sentido y el valor en el contexto de la psicoterapia. Al mismo tiempo, se muestra muy comprometido con la psicología individual: Frankl participa regularmente en las tertulias sobre psicología individual en el Café Siller de Viena y edita su propia revista de psicología individual *(Der Mensch im Alltag)*. Aquí se perfilan ya algunos de los motivos principales de su futura obra científica y clínica. En *Der Mensch im Alltag,* publica un artículo con el título «Sobre el sentido de la vida cotidiana», que recuerda mucho a los trabajos explícitamente logoterapéuticos de Frankl (Frankl, 1927). En 1926 presenta en el Congreso Internacional de Psicología Individual de Düsseldorf una de sus ponencias fundamentales. Durante este ciclo de conferencias Frankl utiliza por primera vez el término «logoterapia» como un método de tratamiento psicológico que, además de servir para esclarecer conflictos psicológicos, aborda también la importancia de los recursos existenciales y la posibilidad de elección de las propias posturas personales frente a la condicionalidad psicodinámica. Siete años después, en 1933, Frankl acuñará el término «análisis existencial» para definir una corriente antropológica de investigación y de pensamiento que sirve de base filosófica de la logoterapia y profundiza en ella en el sentido de una «cura médica de almas» *(Ärztliche Seelsorge).*

Alrededor de 1925, Frankl debió de conocer a su primer mentor, Rudolf Allers, quien, como él, había renegado poco antes de Sigmund Freud, uniéndose al círculo de Adler hacia comienzos de aquel año. Frankl fue ayudante de Allers en el Instituto de Fisiología de la Universidad de Viena. Allers dirigía junto con Oswald

Schwarz, que posteriormente fundaría la medicina psicosomática, el «ala antropológica» de la Sociedad para la Psicología Individual, en cuya fundamentación psicológica trabajó presumiblemente a partir de 1926. Sin embargo, en este intento se esbozan desde el principio ciertas discrepancias teóricas con la psicología individual ortodoxa, por ejemplo, en lo referido a la cuestión de si las experiencias y comportamientos neuróticos son realmente primarios o, en la mayoría de los casos, construcciones, o si estos podrían ser también la expresión genuina de preocupaciones y asuntos personales.

Estas reflexiones conducen a un distanciamiento cada vez mayor de Adler; todavía en 1927, pocos meses después de que Allers y Schwarz anunciaran su salida de la Sociedad para la Psicología Individual, Frankl es expulsado de la asociación a petición expresa de Adler a causa de sus «opiniones poco ortodoxas».

Para Frankl, apartarse de la psicología individual no significó solo la pérdida de la ilusión en la capacidad de reforma interna de la que en aquel momento era la corriente psicoterapéutica de «espíritu más abierto» de Viena, sino que, además, supuso también la pérdida de un importante foro en el que poder discutir con Adler sus ideas y experiencias clínicas en materia de psicología individual.

Al mismo tiempo, los años siguientes presentan nuevos retos para Frankl y su modelo. Frankl estuvo muy activo durante los años posteriores a su expulsión. A través de la praxis de la psiquiatría y la psicoterapia, reúne experiencias fundamentales, que marcarán el desarrollo de la logoterapia. Desde mediados de los años veinte, Frankl, alentado por el ejemplo de los Centros para la Prevención del Suicidio de Wilhelm Börner en Viena y Hugo Sauer en Berlín, había aludido en numerosas publicaciones a la necesidad de establecer Centros de Asesoramiento de la Juventud (véase, por ejemplo, Frankl, 1926a, 1926b).

Tras su expulsión de la Sociedad para la Psicología Individual, el propio Frankl, junto con antiguos colegas del círculo cercano a Adler, entre ellos, Rudolf Allers, August Aichhorn, Wilhelm Börner, Hugo

Lukacs, Erwin Wexberg, Rudolf Dreikurs y Charlotte Bühler, acomete un trabajo que consideraba necesario, organizando a partir de 1928, primero en Viena y más tarde, siguiendo este mismo modelo, en otras seis ciudades europeas, Centros de Asesoramiento de la Juventud, en los que se atiende de forma gratuita y anónima a personas jóvenes que se encuentran angustiadas.

Las atenciones se realizan en las casas o en las consultas de las personas voluntarias. Frankl atiende en casa de sus padres, en el Czerningasse 6 del distrito de Leopoldstadt de Viena, que aparece en todas las publicaciones y folletos como la dirección de contacto con el director de los Centros de Asesoramiento de la Juventud. Dado que con esta oferta Frankl llenaba un vacío existente en la Viena de su tiempo, no es de extrañar que los centros de asesoramiento atendieran una gran demanda de consultas y tuvieran un enorme éxito. Los artículos posteriores de Frankl, en los que relata de manera breve y retrospectiva su actividad como asesor juvenil, proporcionan información sobre lo exitoso —y lo necesario— que era este trabajo. En ellos, Frankl hace referencia a unos novecientos casos a los que atendió personalmente (Frankl, 1930; Frankl, 1935a; Fizzotti, 1995) y extrae un balance decepcionante sobre la situación de los jóvenes en Viena: al menos un 20 % de las personas que acudieron a la consulta «sentían hastío vital y tenían pensamientos suicidas» (Frankl, 1930).

A partir de 1930, Frankl se dedicó cada vez más al problema del suicidio entre los estudiantes inmediatamente antes y después de la entrega de notas. Organiza las primeras campañas de asesoramiento, poniendo especial atención en la época crítica de final del año escolar:

> El Centro de Asesoramiento de la Juventud de Viena creó un centro de información específico para estos temas, que ofrecía una especie de servicio permanente [...] durante el día de entrega de notas, así como durante los días anterior y posterior a este. Esta experiencia valdría la pena aunque tan solo sirviera a una persona,

> pero debería afianzarse y, al igual que ocurre con el resto de los centros de asesoramiento, ser un ejemplo que pusiera a Viena a la cabeza de la creación de servicios de asistencia. [...]
>
> El concejal Tandler dijo una vez: «¡Ningún niño debe morir de hambre en Viena!», y nosotros añadimos: ¡ni estar angustiado sin saber que hay alguien que puede ayudarlo! Así que esperamos que nuestro llamamiento y toda la campaña de final de curso sean un éxito. (Frankl, 1931)

La campaña tuvo buenos resultados desde el primer año de su puesta en marcha (1930). El número de intentos de suicidio entre los estudiantes se redujo significativamente y al año siguiente, por primera vez en años, no se registró ningún suicidio en este grupo. Los medios supieron reconocer la iniciativa de Frankl: «La creación de este Centro de Asesoramiento de Estudiantes fue una idea magnífica del fundador y director honorífico del Centro de Asesoramiento de la Juventud, el joven doctor V. Frankl», escribe el redactor jefe de un periódico vienés el 13 de julio de 1931 (citado en Dienelt, 1959). Desde 1930 Frankl es un «joven médico»; después de completar sus estudios de medicina, comienza su especialización en psiquiatría y neurología, primero en el Hospital Psiquiátrico Universitario, bajo la dirección de Otto Pötzl; desde 1931, en el Marien-Theresien-Schlössel, que dirigía Josef Gerstmann; y desde 1933 hasta 1937 en el Hospital Psiquiátrico Am Steinhof.

En Steinhof, Frankl se hizo muy pronto cargo de la gestión del llamado «pabellón de las suicidas», donde atendía a unas tres mil pacientes por año. El trato directo con estas mujeres le permite adquirir nuevos conocimientos acerca de la aplicación y los efectos de la logoterapia y el análisis existencial, no solo en casos de crisis existenciales y neurosis, sino también en casos de trastornos psiquiátricos en sentido estricto. Además de su actividad clínica en el hospital, Frankl continúa también con su investigación científica. Entre otras cosas, describe lo que él mismo llamó «fenómeno del corrugador»[1] en las psicosis esquizofrénicas floridas (Frankl, 1935b) y realiza un trabajo pionero en el campo del tratamiento farmacológico de apoyo a la psicoterapia como medida terapéutica asociada, especialmente en casos de neurosis y psicosis severas (Frankl, 1939a).

En 1938 Frankl publica «La dimensión espiritual de la psicoterapia», su primer artículo fundamental sobre logoterapia y análisis existencial. En este artículo Frankl acuña el concepto de «psicología espiritual» [*Höhenpsychologie*] como alternativa o, más bien, complemento de la psicología profunda [*Tiefenpsychologie*] de Sigmund Freud y Alfred Adler, una psicología que no se limita a penetrar en las profundidades de los conflictos psíquicos internos, sino que también presta atención a las inquietudes y recursos espirituales y transmórbidos del paciente (Frankl, 1938). Tras la ocupación de Austria por los nazis en 1938, estos trabajos de investigación se interrumpieron temporalmente. Todavía publicó algunos en revistas especializadas suizas, pero, a la vez, tuvo que cerrar la consulta privada que había abierto recientemente. Como médico judío solo podía atender a pacientes judíos. En 1940 le ofrecieron la dirección del departamento de neurología del hospital de la comunidad judía (Hospital Rothschild) y Frankl aceptó el cargo agradecido, especialmente porque, de momento, le garantizaba a él y a sus familiares cercanos protección frente a la deportación. En 1940, Frankl dejó caducar su visado de entrada a los Estados Unidos y permaneció en Viena para evitar que sus padres fueran deportados.

Así como a comienzos de los años treinta, a través de las acciones en los centros escolares y, más tarde, durante su trabajo en el hospital Am Steinhof, Frankl se había ocupado, entre otras cosas, de la prevención del suicidio desde la psiquiatría y la psicoterapia, ahora se enfrentaba al desafío de impedir los asesinatos de enfermos

1. La teoría a la que Frankl da este nombre hace referencia a que las contracciones involuntarias de las cejas son un signo de esquizofrenia activa. *(N. de la T.)*

mentales dictados por el Estado. Él solo al comienzo y más adelante con la ayuda de su antiguo mentor Otto Pötzl, entonces director del departamento de neurología del Hospital Psiquiátrico de Viena, protegió a numerosos pacientes psiquiátricos judíos del programa de eutanasia del gobierno nazi (Neugebauer, 1997), corriendo con ello un gran riesgo personal.

El 17 de diciembre de 1941, Frankl se casó con su primera mujer, Tilly Grosser, enfermera de sala del departamento interno del Hospital Rothschild. Poco después se cerró el hospital y, con ello, desapareció también la protección frente a la deportación para los médicos, las enfermeras y sus parientes cercanos.

Apenas dos años después de haber dejado caducar su visado a los Estados Unidos, en septiembre de 1942, Viktor Frankl, su mujer Tilly, sus padres, Gabriel y Elsa Frankl, y la abuela de Tilly, Emma Grosser, deben presentarse, junto con otros cientos de judíos vieneses, en el «punto de encuentro» del instituto del Sperlgasse. Con 35 años, Frankl tiene que despedirse de casi todo lo que le recordaría a su vida anterior. Pero, al menos, puede llevarse el texto mecanografiado de la primera versión de la principal obra de la logoterapia y el análisis existencial, *Psicoanálisis y existencialismo* [*Ärztliche Seelsorge*] (Frankl, 1940/1942), que había acabado recientemente, bajo la presión de los acontecimientos políticos y las sospechas de una inminente deportación. A pesar de que su destino era completamente incierto, todavía confiaba en que hubiera al menos una posibilidad, por pequeña que fuera, de que la quintaesencia de su logoterapia sobreviviera. Esta esperanza resultaría ser ilusoria.

En octubre de 1944 informan a Frankl en Terezín sobre su inminente traslado «al este». Poco después verá por última vez a su madre. Frankl mantuvo hasta el último momento la esperanza de que su madre hubiera permanecido en Terezín y hubiera sobrevivido, y no conoció lo ocurrido hasta después de haber sido liberado. Al igual que su hermano Walter, al que creía a salvo en el exilio en Italia, su madre fue asesinada en Auschwitz. El 19 de octubre de

1944 Viktor y Tilly Frankl fueron deportados a Auschwitz. Más tarde, Frankl diría que, echando la vista atrás, comparados con lo que les esperaba, los años en Terezín habían sido relativamente buenos. Es cierto que fueron años repletos de privaciones y adioses, pero Frankl se había despedido apaciblemente de su padre, había hecho «lo que debía» por él y por su madre y todavía creía que su madre se encontraba relativamente a salvo. Además, en Terezín pudo continuar con su trabajo como médico, animar a los internos en las conferencias que organizaba junto con Leon Baeck y atender como psiquiatra a personas con problemas psicológicos (Berkley, 1993). Por otra parte, Frankl todavía tenía en su poder la primera versión de *Psicoanálisis y existencialismo*, cuyo texto mecanografiado había cosido en el forro de su abrigo. Y, además, Tilly estaba con él. Pero Auschwitz lo cambió todo: «A mi llegada a Auschwitz tuve que arrojarlo todo: la ropa y los últimos efectos personales que poseía» (Frankl, 2002: 91). De modo que Frankl perdió también el manuscrito cosido en el abrigo. En Auschwitz lo separaron de Tilly y ya nunca volvió a verla.

Aunque Auschwitz-Birkenau era un campo de exterminio, servía también como campo de tránsito y reserva de trabajadores forzados. Durante las selecciones, los internos eran conducidos uno por uno a la rampa del campo para que, entre otros, Josef Mengele, el tristemente célebre médico del campo, «evaluara» su capacidad para trabajar: los viejos y los niños, las madres, los enfermos, los débiles y todos los que apenas podían tenerse en pie a causa de la tuberculosis y el hambre eran «seleccionados» y enviados directamente a la cámara de gas. A los que superaban la selección les esperaba un destino incierto. Finalmente, después de pasar por cuatro selecciones, el 24 de octubre de 1944 Frankl fue transportado en un vagón de ganado junto con unos dos mil presos más a Kaufering III, un campo dependiente de Dachau. A comienzos de marzo de 1945 fue trasladado a Türkheim, el último campo en el que estuvo prisionero. Este campo, que también dependía de Dachau, fue construido como «campo de recuperación» para los internos enfermos. Frankl se presentó allí como médico voluntario; fue destinado, entre otros lugares, a los barracones con enfermos de tifus y, con el tiempo, él mismo contrajo la enfermedad. Enfermo de tifus, Frankl utiliza trozos de papel robado para reconstruir mediante palabras clave el manuscrito de *Psicoanálisis y existencialismo* que había perdido en Auschwitz. Tras ser liberado del campo de concentración el 27 de abril de 1945, las tropas estadounidenses lo nombraron médico de campo del Hospital Militar para Personas Desplazadas del balneario de Bad Wörishofen, en Baviera, en el que Frankl trabajó alrededor de dos meses. En julio de 1945, empujado por el deseo de regresar lo antes posible a Viena en busca de su madre y de su esposa, dimite de su cargo en el hospital para poder viajar a Viena lo antes posible. Pero con la división de Austria y Alemania en diferentes zonas aliadas, el tráfico fronterizo entre estos dos países resulta extremadamente complicado, y hasta agosto de 1945 Frankl no puede emprender su regreso a Viena. Durante el tiempo de espera, entre junio y agosto de 1945, por encargo de la emisora militar estadounidense, da sus primeras conferencias radiofónicas sobre la superación del sufrimiento y la dignidad humana, y en su tiempo libre trabaja en la reconstrucción de *Psicoanálisis y existencialismo* a partir de los apuntes tomados en Türkheim.

El día anterior a su regreso a Viena en agosto de 1945, Frankl supo que su madre había muerto asesinada en Auschwitz, y tan solo un día después de su llegada a la ciudad se enteró de que su mujer tampoco había sobrevivido al Holocausto. Tilly había muerto pocos días después de la liberación del campo de Bergen-Belsen a causa de los años de reclusión en campos de concentración.

En Viena, Frankl continúa con la reconstrucción de *Psicoanálisis y existencialismo* que había comenzado en Múnich con ayuda de las notas tomadas en Türkheim (Frankl, 1946a). En la nueva versión del libro hace una presentación sistemática de la logoterapia y el análisis existencial, que se considera la Tercera Escuela

Vienesa de Psicoterapia, después de Freud y Adler (Soucek, 1948). Poco después, Frankl redacta en tan solo unos días *Un psicólogo en un campo de concentración (El hombre en busca de sentido)* [Frankl, 1946b], un relato biográfico sobre sus experiencias en el campo de concentración.

Mientras que *Psicoanálisis y existencialismo*, la primera publicación de Frankl después de la guerra, se agotó durante los tres primeros días posteriores a su aparición y, debido a la gran demanda, se reeditó cinco veces solo entre 1946 y 1948, *Un psicólogo en un campo de concentración* apenas se vendió. Debido al gran reconocimiento del autor de *Psicoanálisis y existencialismo* (aunque su nombre solo aparecía en el interior), inmediatamente después de la primera edición de tres mil ejemplares, la editorial había llevado a la imprenta una segunda edición con el nombre del autor en la portada. Las ventas fueron tan malas que la editorial desechó gran parte de la segunda edición después de vender a Frankl unos cien ejemplares rebajados, que este donaría a la KZ-Verband.

A pesar de que Frankl era un conferenciante popular y en sus charlas y conferencias radiofónicas hablaba sobre los mismos temas que se trataban en *Un psicólogo en un campo de concentración*, hubo varias razones por las que al principio el libro no tuvo buena acogida en el mercado de la Viena de posguerra. Probablemente, una de las causas principales de la discreta recepción del libro fuera ese primer título, que más adelante Frankl cambió por el de *A pesar de todo, decir sí a la vida*, título que este había utilizado inicialmente para su tercer libro. Esta fue la primera y única vez que Frankl cambió el título de un libro sin que cambiara también su contenido.

El libro no tuvo éxito hasta diez años después, sobre todo gracias a la edición estadounidense realizada por el entonces presidente de la Asociación Estadounidense de Psicología, Gordon W. Allport. La traducción salió a la calle en 1959 con el título de *From Death-Camp to Existentialism* (en 1963, *Man's Search for Meaning*), publicada por Beacon Press, en Boston, y pronto se convirtió en un éxito de ventas a nivel internacional. Hasta la fecha se han vendido en todo el mundo diez millones de ejemplares de las más de ciento cincuenta ediciones realizadas. Según la *Library of Congress* de Washington, este es uno de los libros de mayor influencia en los Estados Unidos. En sus memorias, Frankl decía a este respecto:

> ¿No es acaso extraño que precisamente el libro que escribí completamente convencido de que iba a publicarse de forma anónima, y que por tanto no podía proporcionarme ningún éxito personal, se llegara a convertir en un *best seller,* incluso según los parámetros estadounidenses? (Frankl, 2002: 106)

En febrero de 1946 Frankl se convirtió en director del departamento de neurología del Hospital Policlínico de Viena, puesto que ocuparía durante veinticinco años, hasta su jubilación. Allí conoció a una joven auxiliar de odontología llamada Eleonore Schwindt, con la que poco después se casaría, y de la que, andando el tiempo, el filósofo estadounidense Jacob Needleman dijo: «Ella es el calor que acompaña la luz», haciendo referencia al matrimonio y al trabajo conjunto de Viktor y Eleonore. Durante cincuenta y dos años ella fue su confidente y su mejor compañera de trabajo. Hasta 1997 los dos recorrieron juntos más de diez millones de kilómetros para acudir a invitaciones de charlas y conferencias. En 1947 nació su hija Gabriele.

Durante los años siguientes aparecieron otros artículos y libros de Frankl, entre ellos *La psicoterapia en la práctica clínica,* en 1947, y la *Teoría y terapia de las neurosis,* en 1956. Estas obras constituyen, junto con *Psicoanálisis y existencialismo,* la exposición más detallada de la logoterapia y el análisis existencial, y presentan la práctica de la logoterapia aplicada como una escuela psicoterapéutica independiente, basándose en pautas diagnósticas y clínicas. A estas siguieron numerosas publicaciones en las que Frankl profundiza en la teoría y la práctica de la logoterapia y el análisis existencial y amplía sus campos de aplicación más allá de sus principales ámbitos.

Con la publicación de *Psicoanálisis y existencialismo*, la logoterapia despertó un gran interés en el mundo de habla alemana; desde finales de los años cincuenta va encontrando su lugar entre la comunidad científica internacional. Frankl fue invitado por más de doscientas universidades de los cinco continentes a dar conferencias y clases magistrales. Más adelante, Frankl fue nombrado profesor de la Universidad de Harvard, en Boston, y de las universidades de Dallas y Pittsburgh. La Universidad Internacional de los Estados Unidos en California creó expresamente para Frankl un instituto y una cátedra de logoterapia. La Academia Internacional de Filosofía del Principado de Liechtenstein creó también la cátedra Viktor Frankl de Filosofía y Psicología, que ahora dirige el Instituto Viktor Frankl de Viena.

En el marco de la amplia difusión del trabajo científico y clínico de Frankl en el ámbito universitario y en vista del giro humanista dentro de la psicoterapia y la psiquiatría, la logoterapia se está convirtiendo cada vez más en un ámbito de investigación independiente. En los últimos treinta años han aparecido, solo en revistas especializadas de psicología y psiquiatría, más de seiscientos artículos empíricos y clínicos, que confirman la eficacia de la logoterapia y el análisis existencial, tanto en la prevención psicoterapéutica y psiquiátrica de crisis como en la terapia e intervenciones clínicas en casos de crisis (Batthyány y Guttmann, 2006; Batthyány, 2011; Thir y Batthyány, 2015). Al mismo tiempo, existen aproximadamente el mismo número de publicaciones en las que se analizan los fundamentos teóricos (Vesely y Fizzotti, 2014). Parece pues que la logoterapia ha superado una de sus pruebas más importantes, convirtiéndose, como corriente independiente de psicoterapia y ámbito particular de investigación, en elemento indispensable de la tradición no reduccionista dentro de las ciencias del comportamiento, sociales y humanas a nivel clínico, teórico y empírico. Lo que antes se concebía solo como una metodología complementaria de la psicoterapia, en particular de la psicología individual, se convirtió a partir de mediados de los años cincuenta en una escuela terapéutica y de investigación independiente, que hoy es considerada en todo el mundo como uno de los últimos grandes desarrollos de la psiquiatría y la psicoterapia.

Pero, más allá de su trabajo científico y clínico en sentido estricto, Frankl siempre se dirigió al público general. Su manera de analizar y comprender los problemas y preocupaciones de su tiempo contribuyó de manera especial al éxito y la divulgación de la logoterapia y el análisis existencial. Del mismo modo, todo esto influyó claramente en los éxitos de Frankl. Universidades de todo el mundo le otorgaron un total de veintinueve doctorados *honoris causa*, y recibió numerosos premios, entre ellos la Gran Estrella de la Orden al Mérito de la República de Austria y la Gran Cruz al Mérito de la República Federal de Alemania. Fue la primera persona no estadounidense que recibió el Premio Oskar Pfister de la Asociación Estadounidense de Psiquiatría, y la Academia Austriaca de las Ciencias lo nombró miembro honorífico.

El 21 de octubre de 1996, con 91 años, Frankl dio su última conferencia en el Hospital Universitario de Viena. En julio de 1997 Frankl y su mujer, la doctora Eleonore Frankl, celebraron sus bodas de oro. El 2 de septiembre de 1997, a la edad de 92 años, Viktor Frankl murió en Viena a causa de una insuficiencia cardiaca.

Hoy, casi veinte años después de su muerte, el interés por la logoterapia y el análisis existencial permanece intacto. Frankl sigue siendo el psiquiatra de orientación existencialista más citado del último siglo (Batthyány y Russo-Netzer, 2014); cada año las ideas de Frankl y su relevancia para las profesiones asistenciales y de apoyo son tema de numerosos congresos y jornadas científicas en todo el mundo; todos los años salen también a la luz nuevas publicaciones sobre la logoterapia y sus trabajos están cada vez más difundidos. Hasta la fecha, sus treinta y siete libros se han traducido a cuarenta y cuatro idiomas y casi todos los años aparecen nuevas traducciones.

El legado de Frankl ha marcado a generaciones de psiquiatras, psicólogos clínicos y psicoterapeutas y hoy continúa vivo de la mano de sus alumnos y colegas. Existen en los cinco continentes institutos universitarios e instituciones privadas de investigación y formación dedicadas a la aplicación, la formación y la divulgación psicoterapéuticas, así como al desarrollo científico de los ámbitos de aplicación de la logoterapia.

Es posible consultar en la página web del Instituto Viktor Frankl de Viena (www.viktorfrankl.org) el listado completo de las asociaciones e institutos que trabajan actualmente siguiendo el espíritu de las ideas de Viktor E. Frankl y que, dentro del Instituto Viktor Frankl de Viena y como miembros de la Asociación Internacional de Logoterapia y Análisis Existencial, ofrecen formación como psicoterapeutas y asesores de logoterapia y análisis existencial, siguiendo las líneas directrices del consejo curricular.

El Instituto Viktor Frankl de Viena fue fundado pocos años antes de su muerte por colegas, amigos y familiares, con el asesoramiento del propio Frankl, con la misión de continuar, conservar e impulsar su obra y de garantizar a nivel internacional el acceso a información original sobre la logoterapia y el análisis existencial. El instituto acoge, además de la más amplia colección de textos y trabajos de investigación sobre logoterapia y análisis existencial, el legado privado de Viktor Frankl, a partir de cuyos fondos se ha elaborado el presente volumen.

Acerca del editor

El doctor Alexander Batthyány ocupa la cátedra Viktor Frankl de Fundamentos Teóricos de la Psicología en Liechtenstein y da clases en el Área de Ciencia Cognitiva de la Universidad de Viena y en el Hospital Universitario de Psiquiatría y Psicoterapia de Viena. Además, desde 2011 es profesor visitante de logoterapia y análisis existencial en el Instituto Universitario de Psicoanálisis de Moscú. Batthyány es director del Instituto Viktor Frankl de Viena. Junto con la doctora *honoris causa* Eleonore Frankl, gestiona también el legado personal de Viktor Frankl. Es, además, editor de las *Obras Completas* de Viktor Frankl. A él le debemos también numerosos libros y artículos sobre teoría e historia de la psicología y la psiquiatría, la logoterapia y el análisis existencial.

Bibliografía

Allers, Rudolf (1924), «Die Gemeinschaft als Idee und Erlebnis», *Internationale Zeitschrift für Individualpsychologie* 2, pp. 7-10.

Batthyány, Alexander (2011), «Over Thirty-Five Years Later: Research in Logotherapy since 1975», nuevo epílogo de Viktor E. Frankl (2011), *Man's Search for Ultimate Meaning*, Londres, Rider.

— y David Guttmann (2006), *Empirical Research in Logotherapy and Meaning-Oriented Psychotherapy*, Phoenix (AZ), Zeig, Tucker & Theisen.

— y Jay Levinson (2009), *Existential Psychoterapy of Meaning. A Handbook of Logotherapy and Existential Analysis*, Phoenix (AZ), Zeig, Tucker & Theisen.

— y Pninit Russo-Netzer (2014), *Meaning in Existential and Positive Psychology*, Nueva York, Springer.

Berkley, George (1993), *Hitler's Gift: The Story of Theresienstadt*, Boston, Branden Books.

Dienelt, Karl (1959), «Jugend- und Existenzberatung», en Viktor E. Frankl, *et al* [eds.] (1959), *Handbuch der Neurosenlehre und Psychotherapie*, Múnich, pp. 584-594.

Fizzotti, Eugenio (1995), «Prolegomena zu einer Psychotherapie mit menschlichem Antlitz», *Journal des Viktor-Frankl-Instituts* 1, pp. 29-40.

Frankl, Viktor E. (1924), «Zur mimischen Bejahung und Verneinung», *Internationale Zeitschrift für Psychoanalyse* 10, pp. 437-438.

— (1925), «Psychotherapie und Weltanschauung. Zur grundsätzlichen Kritik ihrer Beziehungen», *Internationale Zeitschrift für Individualpsychologie* 3, pp. 250-252.

— (1926a), «Schafft Jugendberatungsstellen!», *Die Mutter* (31-8-1926)*.

— (1926b), «Gründet Jugendberatungsstellen!», *Der Abend* (31-8-1926)*.
— (1927), «Vom Sinn des Alltags», *Der Mensch im Alltag* III*.
— (1930), «Jugendberatung», en *Enzyklopädisches Handbuch der Jugendfürsorge* [s. l.].
— (1931), «Die Schulschlussaktion der Jugendberatung», *Arbeiterzeitung* (5-7-1931).
— (1935a), «Aus der Praxis der Jugendberatung», *Psychotherapeutische Praxis* VII.
— (1935b), «Ein häufiges Phänomen bei Schizophrenie», *Zeitschrift für Neurologie und Psychiatrie* 152, pp. 161-162.
— (1938), «Zur geistigen Problematik der Psychotherapie», *Zentralblatt für Psychotherapie* 10, pp. 33-75.
— (1939a), «Zur medikamentösen Unterstützung der Psychotherapie bei Neurosen», *Schweizer Archiv für Neurologie und Psychiatrie* 46, pp. 26-31.
— (1939b), «Philosophie und Psychotherapie. Zur Grundlegung einer Existenzanalyse», *Schweizerische Medizinische Wochenschrift* LXIX, pp. 707-709.
— (aprox. 1940/1942), *Ärztliche Seelsorge. Urfassung*, Viena, Viktor Frankl Institut (inédito).
— (1946a), *Psicoanálisis y existencialismo*, México, Fondo de Cultura Económica, 2010.
— (1946b), *El hombre en busca de sentido*, Barcelona, Herder, [3]2015.
— (1947), *La psicoterapia en la práctica clínica*, Barcelona, Herder, 2014.
— (1949), «Aus der Krankengeschichte des Zeitgeistes», *Wiener Universitäts-Zeitung* I/7.
— (1993), *Teoría y terapia de las neurosis*, Barcelona, Herder, 2016.
— (2002), *Lo que no está escrito en mis libros. Memorias*, Barcelona, Herder, 2016.
NEUGEBAUER, Wolfgang (1997), «Wiener Psychiatrie und NS-Verbrechen», en *Die Wiener Psychiatrie im 20. Jahrhundert*, Viena,

Tagungsbericht, Institut für Wissenschaft und Kunst (20/21 de junio de 1997).

SOUCEK, Wolfgang (1948), «Die Existenzanalyse Frankls, die dritte Richtung der Wiener Psychotherapeutischen Schule», *Deutsche Medizinische Wochenschrift* 73, pp. 594-595.

THIR, Michael, y Alexander BATTHYÁNY (2015), «State of Empirical Research on Logotherapy and Existential Analysis», en *Logotherapy and Existential Analysis. Annual Proceedings of the Viktor Frankl Institute Vienna*, Nueva York, Springer.

VESELY, Franz, y Eugenio FIZZOTTI (2005), *Internationale Bibliographie der Logotherapie und Existenzanalyse*, Viena, Internationales Dokumentationszentrum für Logotherapie und Existenzanalyse (www.viktorfrankl.org).

Índice de imágenes

© Herederos de Viktor Frankl.

p. 88. Walter, hermano de Viktor Frankl. © Viktor Frankl Archiv/Imagno/Picturedesk.com.

p. 88. Gabriel y Elsa, padres de Viktor Frankl. © Viktor Frankl Archiv/Imagno/Picturedesk.com.

p. 106. Donación de Viktor Frankl para plantar dos árboles en memoria de sus padres. © Herederos de Viktor Frankl.

p. 196. Documento que certifica el periodo y los campos de concentración en los que estuvo prisionero Viktor Frankl. © Herederos de Viktor Frankl.

Otras obras de Viktor E. Frankl

Es posible acceder a una lista de todas las obras escritas por Viktor Frankl, así como a una amplia bibliografía en línea sobre logoterapia, en el sitio web del Instituto Viktor Frankl, www.viktorfrankl.org.

Obras en español

... A pesar de todo, decir sí a la vida, Barcelona, Plataforma, 2016.

Ante el vacío existencial. Hacia una humanización de la psicoterapia, Barcelona, Herder, 2010 (1.ª ed. 1980).

Búsqueda de Dios y sentido de la vida. Diálogo entre un teólogo y un psicólogo, con Pinchas Lapide, Barcelona, Herder, [4]2018.

El hombre doliente. Fundamentos antropológicos de la psicoterapia, Barcelona, Herder, [7]2009 (1.ª ed. 1987).

El hombre en busca de sentido, Barcelona, Herder, [3]2016.

El hombre en busca del sentido último, Barcelona, Paidós, 2017 (1.ª ed. 1999).

En el principio era el sentido, con Franz Kreuzer, Barcelona, Paidós, 2014.

Escritos de juventud 1923-1942, Barcelona, Herder, 2007.

Fundamentos y aplicaciones de la logoterapia, Barcelona, Herder, 2012.

La idea psicológica del hombre, Madrid, Rialp, 2003 (1.ª ed. 1965).
La presencia ignorada de Dios. Psicoterapia y religión, Barcelona, Herder, [2]2012 (1.ª ed. 1977).
La psicoterapia al alcance de todos, Barcelona, Herder, [9]2010 (1.ª ed. 2003).
La psicoterapia en la práctica clínica, Barcelona, Herder, 2014.
La voluntad de sentido. Conferencias escogidas sobre logoterapia, Barcelona, Herder, [5]2012.
Lo que no está escrito en mis libros. Memorias, Barcelona, Herder, 2016.
Logoterapia y análisis existencial. Textos de cinco décadas, Barcelona, Herder, [2]2011 (1.ª ed. 1990).
Psicoanálisis y existencialismo, México-Buenos Aires, Fondo de Cultura Económica, 2010 (1.ª ed. 1950).
Psicoterapia y existencialismo. Escritos selectos sobre logoterapia, Barcelona, Herder, [2]2014 (1.ª ed. 2001).
Psicoterapia y humanismo. ¿Tiene un sentido la vida?, México-Madrid-Buenos Aires, Fondo de Cultura Económica, [9]2014 (1.ª ed. 1978).
Sincronización en Birkenwald. Una conferencia metafísica, Barcelona, Herder, 2013.
Teoría y terapia de las neurosis. Iniciación a la logoterapia y al análisis existencial, Barcelona, Herder, 2008 (1.ª ed. 1992).